TIM MÄLZER:

»Uri in einem Satz beschreiben können, worum ich gebeten wurde?
Ist mir absolut nicht möglich. Denn selten habe ich auf meinen vielen
Reisen einen so liebenswerten, kreativen, humorvollen und vielseitigen
Mann erlebt wie diesen Genussmenschen. Man muss dieses Buch
lesen, um ihn auch nur im Ansatz zu verstehen.«

URI BURI
MEINE KÜCHE

—

**Israels legendärer
Koch in
seinem Element**

Autoren: Uri Jeremias und Matthias F. Mangold
Fotografin: Vivi D'Angelo

INHALT

7   Vorwort

8   URIS WELT

11   Mensch Uri

26   Akko und die Koexistenz

34   Das »Uri Buri« und die Idee dahinter

41   Das Team

50   Hotel »Efendi«

58   KÜCHENPRAXIS

61   Ein paar Worte vorneweg

62   Fisch kaufen

64   Frischen Fisch erkennen

68   Ganze Fische verarbeiten

70   Frisches Seafood

72   TK-Seafood

74   Größen und Maßeinheiten bei Seafood

78   Grundlagen der Zubereitung

80   Grillen

86   Braten

88   Schmoren

90   Dämpfen

92   Backen

94   Frittieren

96   Wann ist mein Fisch gar?

98   Roher Fisch

100   Beizen und Pökeln

102   Räuchern

104   Techniken kombinieren

106   Würzen

112   Trends

114   REZEPTE

117   Zum Umgang mit den Rezepten

278   Register

288   Impressum

LIEBE ALLE,

als Mitte 2019 die Idee an mich herangetragen wurde, ein Buch über meine Küche zu schreiben, war ich zunächst eher skeptisch und vermutete, der Verlag habe vorrangig ein reines Kochbuch nur mit Rezepten im Sinn – und das wäre für mich völlig uninteressant gewesen. Kochen ist doch so viel mehr als nur das Kochen an sich! Relativ rasch wurde aber klar, dass ich meine ganzen Ideen mit einbringen konnte, meinen Hintergrund, meine Lebensphilosophie und auch meine Vorstellungen vom Zusammenleben in einer Gesellschaft.

Was du bei mir im Restaurant auf dem Teller hast, muss einfach nur schmecken, und wenn du dabei eine gute Zeit hast, bin ich zufrieden. Wenn du allerdings meine Rezepte aus diesem Buch nachkochen möchtest, lohnt es sich, auch die Kapitel davor zu lesen, in denen du einen Einblick erhältst, warum ich manche Dinge so und nicht anders mache. Das Kochen selbst ist lediglich das Endresultat der idealen Verwendung der Zutaten und des richtigen Umgangs mit ihnen. Und das ist gerade bei Fisch wichtiger als bei vielen anderen Produkten.

Ich nehme dich mit in mein Restaurant »Uri Buri« und in das kleine Hotel »Efendi«, ich stelle dir mein Team vor, zeige dir meine Stadt Akko und warum sie mich so geprägt hat. Du erfährst viel über die Küchenpraxis und den Umgang mit Fisch. Und du lernst nicht nur einen Koch, du lernst mich kennen.

Uri Jeremias

URIS WELT

Willkommen im Kosmos von Uri Buri! Und auf zu einer Entdeckungsreise, die weit über das Kulinarische hinausgeht ...

MENSCH URI

Wir gehen mit Uri durch die Gassen der Altstadt von Akko, es ist Markttag, wie fast jeden Tag. Überall rufen Leute »Uri Buri!«, wenn sie ihn sehen. Es werden Hände geschüttelt. Man kennt sich, und jeder kennt Uri. Er dürfte der inzwischen wohl bekannteste Botschafter Akkos sein, dieser kleinen Stadt im Norden Israels, gerade mal 25 Kilometer von der Grenze zum Libanon entfernt. Geboren und aufgewachsen ist er noch ein wenig weiter nördlich, in Naharija, wo er bis heute lebt.

In Sachen Lebenslauf muss ein wenig ausgeholt werden. Uris deutsche, jüdische Großeltern wurden 1918 aus dem polnischen Posen vertrieben und flüchteten nach Berlin. Sie hatten eine große Teerfabrik betrieben, verloren aber alles. Uris Vater Benjamin lernte in der ersten jüdischen Gartenbauschule der Welt in Ahlem bei Hannover. 1930 wanderte die Familie nach Palästina aus. Der Vater, überzeugter Zionist, wurde Landwirtschaftslehrer und unterrichtete Neueinwanderer, arbeitete aber auch als Polizist. Nebenbei engagierte er sich in der Verständigung zwischen meist jungen Israelis und anderen Menschen aus aller Welt, etwa in der Organisation Servas International, deren Präsident er eine Zeit lang war. Vom ersten deutschen Botschafter in Israel, Rolf Friedemann Paul, erhielt er dafür sogar das Bundesverdienstkreuz. Uri wuchs mit zwei leiblichen Schwestern und vielen Pflegekindern auf, acht davon blieben langfristig. Schon vor 1948, also vor der Staatsgründung Israels, nahm die Familie jüdische wie auch arabische Mädchen und Jungs auf, überhaupt aus aller Welt, so auch aus Indien oder Polen. Deutsch gelernt hat er dabei nur, um sich hinter dem Rücken der anderen Kinder mit seinen Eltern unterhalten zu können. Er selbst sollte später drei eigene und drei angenommene Töchter haben. »Das Haus war wie ein Bahnhof, immer voll. Ich hatte es später zu Hause immer nur mit Frauen zu tun, selbst der Hund war eine Hündin. Ich war der Einzige, der den Klodeckel hochklappen musste«, erzählt er lachend.

»ICH HABE PRINZIPIELL KEINE PRINZIPIEN.«

Eigentlich und formal heißt Uri mit Nachnamen
Jeremias; seinen Spitznamen Buri (hebräisch für
Meeräsche) bekam er schon früh verpasst, weil er
bereits als Jugendlicher lieber tauchen und fischen
ging anstatt zur Schule. Er sagt von sich, er sei seit
jeher unruhig gewesen und habe sich schlecht konzentrieren können – was typisch ist für Menschen
mit der Aufmerksamkeitsstörung ADHS, unter der
er sein Leben lang litt und leidet. Für Uri nichts
Schlimmes, denn es ermöglichte ihm, einen ver-
meintlichen Nachteil zum Vorteil zu entwickeln.

»Man muss verstehen, dass eine Aufmerksamkeitsstörung nicht nur ein Fluch ist, sondern auch eine
Gabe. Warum? Die meisten Menschen stellen sehr
wenige Dinge in Frage, sie haben Antworten für
alles. Ich habe Antworten für gar nichts. Vielleicht
mache ich deshalb auch so viele unterschiedliche

Sachen. Wenn man sich für die verschiedensten
Dinge interessiert, für Musik, Kunst, Kochen oder
auch Reisen, hat man die Möglichkeit, gemachte
Erfahrungen zu übertragen, die vielen Verbindungen
zu verknüpfen, überhaupt erst zu sehen. Vielleicht
mehr, in jedem Fall aber anders, als es Spezialisten in
ihren Fachgebieten können. Universeller. Es ist eine
Art umfassendes Halbwissen. Wie bei einem Puzzle,
wo man mit der Zeit die Zusammenhänge immer
klarer sieht. Oder, um bei meinem Metier zu bleiben:
Man bildet ein Netz, das kleine wie große Fische
fangen kann. Wer Sachen richtig gelernt hat, hat nur
ein bestimmtes Netz, da kommen nur Fische in
dessen Größe rein, andere nicht. Es sind mitunter die
größten Sachen, die nicht durchdringen. Oder auch
die kleinsten, die einfach verschwinden. Sie sind
eventuell nicht wichtig, aber angenehm. Und so ist es
eine Gabe, einzusetzen, was man nicht gelernt hat.«

»MEINE MUTTER SAGTE IMMER:
ES IST QUATSCH UND QUETSCHER,
BIS ES QUIETSCHT.«

Die Mutter Hannah, das war der feste Anker, sie hielt zu ihm. Wenn sie wieder mal bei den Lehrern antanzen musste, um sich anzuhören, Uri macht dies nicht und Uri macht das nicht, meinte sie nur, sie kenne ihren Sohn und der, von dem die Lehrer dies und das behaupten, könne gar nicht ihr Junge sein, das müsse man wohl verwechselt haben. »Ich war zu Hause ganz anders. Wir hatten eine Hütte voller Kinder und ich verstand, dass ich helfen, anpacken musste.« Über die Adoptiv- und Pflegekinder entwickelte Uri weder eine Arabo- noch eine Islamophobie, ganz im Gegenteil. Es war für ihn nie eine politische Sache, sondern ein Zusammensein in Liebe und Respekt. Basis der Koexistenz, von der später noch die Rede sein wird.

In den 1960er Jahren ging Uri auf Wanderschaft durch Europa, zunächst 1961, da war er gerade mit 16 Jahren (»Viel zu spät!«) von der Schule geflogen. Alleine reiste er über Italien und die Schweiz nach Deutschland, verbrachte Zeit in einem Jugendlager der SPD-Jugendorganisation »Die Falken« oder im Camp Rote Erde, das Material für Bauten für Spätaussiedler aus Russland produzierte. Drei Tage verbrachte er auf Einladung von Berlins Regierendem Bürgermeister Willy Brandt in Berlin. Unterwegs war er mit dem Daumen im Wind, per Anhalter. Und immer suchte er das Gespräch mit den Menschen. »Ich wollte einfach verstehen, wie ein so kultiviertes Volk so viel Mist bauen konnte, wie kann das nur passieren? Wir haben nicht viel daraus gelernt. Man muss nur sehen, was in Syrien passiert. Die Welt sieht zu und macht nichts dagegen.«

Der Leuchtturm am alten Hafen von Akko ist eines der Wahrzeichen der Stadt.

»ICH WAR EINMAL IN VIETNAM AUF
DEM MARKT. EINE FISCHHÄNDLERIN
BEOBACHTETE MICH UND SAGTE:
›DER VERSTEHT VIEL VON FISCH!!‹ –
›WIESO?‹ – ›ICH HABE GESEHEN, WO
SEINE AUGEN HINGEGANGEN SIND‹.«

Später, bei der nächsten Europareise, trieb er sich
in den Künstlerszenen von München, Hamburg,
Berlin und Amsterdam herum und wurde akzeptiert,
obwohl er keine Drogen nehmen wollte. Er lernte
unter anderem den Fotografen Günter Zint kennen,
der für die BRAVO oder auch die BILD arbeitete
und später die ST. PAULI NACHRICHTEN gründete,
bevor sie ein paar Jahre später zum anzüglichen
Schundblatt abrutschte – beide sind heute noch
gut befreundet. Zint begleitete ihn teilweise sogar,
so etwa im Sechstagekrieg, von dem er für den
SPIEGEL berichtete. Uri kaufte sich einen VW-Bus
und fuhr gen Osten, nach Asien. Türkei, Irak, Iran,
bis nach Indien. In den Bus hatte er eine kleine
Küche eingebaut und verdiente sich einen Teil
seines Unterhalts quasi als Betreiber einer Straßen-
küche. Den Rest finanzierte er sich mit dem Handel
von Edelsteinen, die er im einen Land an- und im
nächsten wieder verkaufte oder tauschte. Der Bus
hielt gut durch, doch an der pakistanisch-indischen
Grenze hätte er 800 Dollar Kaution hinterlegen
müssen, um mit dem Bus auch wieder auszureisen.
Die hatte er nicht. Also rüber nach Kabul, VW verkauft (ausgerechnet an zwei Palästinenser!) und nach
Indien getrampt, dann nach Sri Lanka gekommen,

in der Folge hoch bis Nepal, zurück erst in die
Türkei, dann per Schiff nach Israel. Ach ja: In Süd-
indien rettete Uri einem kleinen Affen das Leben, er
kaufte ihn bei einer Versuchsstation für anderthalb
Dollar frei. Der Affe bekam ein medizinisches Zeug-
nis und einen eigenen Pass (!), reiste unter diversen
Schwierigkeiten bei Grenzübertritten mit Uri nach
Israel und lebte die nächsten 13 Jahre bei ihm.

Uri begann eine Ausbildung als Flugzeugmechaniker
und musste dann seinen Militärdienst ableisten. Hier
meldete er sich freiwillig als Bombenentschärfer – so
erfüllte er seine Soldatenpflicht und konnte gleichzeitig Leben retten, anstatt sie auszulöschen. Was er
während dieser Zeit an Stoffkunde lernte, sollte sich
später, in der Küche, mehr als auszahlen. Auch wenn
man es mit anderen Dingen zu tun hat, ist die Denk-
art die gleiche: Was passiert, wenn. Und worauf
muss ich wann und wie achten. Diesen Job behielt
er von 1967 bis 1991 als Reservist bei, zumeist bei
der Polizei in Jerusalem.

Seine Frau Yael, mit der er seit mehr als 50 Jahren
zusammen ist, war die Nachbarstochter. Er kannte
sie bereits seit ihrer jüngsten Kindheit, die Häuser

stießen fast aneinander. An einem Montag kam er aus Indien zurück und traf sie auf einer Party wieder, es war ein Freitagabend. Das Wochenende verbrachten sie zusammen, dann musste sie wieder zum Militärdienst. Ab dem folgenden Freitag waren sie zusammengezogen. Es war immer klar, dass sie heiraten werden, ohne Wenn und Aber. Uri hat ihr gar keinen Heiratsantrag gemacht, bis heute nicht. Jetzt will er es auch nicht mehr tun, denn »ich habe Angst, dass sie vielleicht ablehnt«, wie er witzelt.

»Yael stand all die Jahre hinter mir. Sie wusste, dass sie einen Mann geheiratet hatte, der nicht ganz normal ist, aber sie unterstützte mich immer. Das war oft nicht einfach, denn viele meiner Entscheidungen waren gegen den besten Verstand der meisten meiner Freunde. Die haben vieles nicht so gesehen wie ich. Und zu Yael haben sie gesagt, du musst Deinen Mann überzeugen. Sie haben es nur gut gemeint und gedacht, dass sie mich vor einer Katastrophe retten. Es war manchmal ja auch nicht weit davon entfernt. Aber ich bin zeitlebens ein Optimist gewesen. Meine Mutter hat immer erklärt: ›Opti oder Pessi – auf jeden Fall Mist!‹ Manche sagen, ein Pessimist ist ein Optimist mit Erfahrung. Wenn jemand ein Pessimist ist und an seinem letzten Tag feststellt, dass das nicht richtig war, hat er sein komplettes Leben versaut. Wenn einer ein Optimist ist und am Ende erkennt, dass das doch nicht richtig war, hat er nur einen einzigen Tag versaut. Also ist es logischer, Optimist zu sein, oder etwa nicht?«

Fische fängt Uri heute nur noch in den Gassen der Stadt – bei den Fischhändlern …

»DIE TELEFON-
NUMMER VOM
KLAPPERSTORCH
IST DIE 215893.
WENN 2 LEUTE
1 MAL 5 MINUTEN
KEINE 8 GEBEN,
SIND SIE 9 MONATE
SPÄTER 3.«

»OPTI ODER PESSI –
AUF JEDEN FALL MIST.«

Nimm Platz mitten im Leben – auch die
kleinste Hütte kann stilvoll sein.

Uri denkt in ganz vielen Bereichen einfach anders.
Unkonventionell, unschematisch. Unterhaltungen
mit ihm sind immer lustig, nie langweilig, mitunter
Augen öffnend, aber auch sehr sprunghaft. Er bleibt
selten bei einem Thema, sondern macht Abstecher
hierhin, Umwege dorthin. Einmal kontaktierte ihn
ein Ökonomieprofessor aus Harvard und wollte eine
Fallstudie über ihn machen, das »Uri Buri«, das
Hotel. Uri sagte ihm, er wisse zwar nicht, was das
sei, aber er könne gerne kommen. Einen ganzen Tag
lang saßen sie zusammen und haben geredet. Als
Uri an einer Stelle Glück als einen Faktor erwähnte,
meinte der Professor, das sei für ihn und seine
Forschung überhaupt nicht relevant. Für Uri allerdings schon! Für ihn steht fest, dass es etwas ist,
das wir ausstrahlen, wir öffnen damit dem Glück
die Tür, es kommt nicht von alleine und klopft an.

»Man kann es natürlich auch etwas philosophischer
betrachten. Ein Mensch zieht um sich herum eine
Mauer und versteckt sich dahinter. Damit er nicht
heraus muss, um Dinge zu verstehen, die ihm nicht
passen. Das Leben beginnt und endet hinter der
Mauer, es ist eine Existenz, kein Leben. Im Grunde
ist das Schulsystem eine der Hauptursachen dafür,
weil es hier nicht vorgesehen ist, etwas über das
Leben gelehrt zu bekommen. Man studiert Mathe-
matik und eignet sich Wissen über die Bibel oder
die Geschichte an – aber aus der Geschichte zu
lernen, lernt man nicht. Ebenso wenig lernt man frei
zu denken, Zusammenhänge im Leben zu begreifen.
Es wird Material gelehrt ohne Kontext. Aus ökono-
mischen Gründen heraus, es geht um Geld. Natürlich ist Geld an sich nicht schlecht, nichts kann heute
ohne Geld wachsen. Es kommt aber darauf an, wie
und was man dann damit macht.«

Der Professor fand, Uri würde über den Tellerrand
hinaussehen. Uri widersprach ihm ganz heftig, denn
um darüber hinaussehen zu können, müsse man ja
erst mal in einem Teller sein, und das wäre dann
wieder die besagte Mauer …

Uri mag es, an Grenzen zu stoßen oder sie sogar zu überschreiten. Nicht im Sinne von legal/illegal, eher als Austesten von Möglichkeiten. Dinge zu wagen: »Nichts zu tun, ist nicht mutig, ist kein wahres Sein. Alle Leute sterben. Aber viele haben nie wirklich gelebt, haben nichts aus sich herausgeholt. Weil sie stets die Komfortzone gewählt haben, automatisch. Diese Komfortzone ist eine recht gefährliche Ecke. Sie bedeutet Stillstand. Sie ist ein Durchmarschieren von A bis Z, ohne jegliche Erfahrungen und vor allem Verluste zu machen. Ich könnte so nicht mein Dasein verbringen, ich finde, man braucht einen Reiz. Ich möchte doch etwas hinterlassen, einen Wert, eine Idee, die mein Leben ausgemacht hat.«

Für ihn persönlich bedeutet das Abwechslung, auch immer ein wenig Risiko, aber nie unüberlegtes Tun. Wenn er eine neue Sache angeht, bei der er sich definitiv nicht auskennt, besorgt er sich möglichst viele Informationen. Und er macht immer zwei Berechnungen: Welches ist der Best Case, welches der Worst Case. So war es auch beim Hotel »Efendi«

und zuvor bei seinem Restaurant »Uri Buri«. Im schlimmsten Fall macht er bankrott, im besten Fall ist der Himmel die Grenze. Dabei passt er nur auf, nicht so verbissen bei der Sache zu sein und immer weiterzumachen, dass das untere Limit überschritten wird. Es gibt einfach eine Grenze, die sagt: bis hier hin und nicht weiter. Das Risiko, das man eingeht, muss es Wert sein, aber keinesfalls so hoch, dass man alles verliert. Uri bringt als Beispiel noch ein jüdisches Sprichwort: »Wenn du Schuhe kaufen gehst und welche findest, die dir ausgezeichnet passen, schau nicht auf den Preis. Und wenn dich ein Paar drückt, schau ebenso wenig auf den Preis.« Mit dieser Vorgehensweise, da ist sich Uri ziemlich sicher, könne man Dinge tun, die andere eben nicht machen. Weil hier die Grenzen einfach ganz woanders stehen. Weil man dabei viel lernen und zudem viel Spaß haben kann.

Ja, Spaß und Humor sind ihm sehr wichtig. Uri ohne
Witze? Undenkbar! Man könnte locker ein weiteres
Buch füllen nur mit seinen Anekdoten. Über sich
selbst zu lachen, ist für ihn ein wesentlicher Teil des
Lebens. Auch, um Situationen zu meistern, die etwas
schwerer sind. Und um zu verstehen, dass die Einzigen, die etwas ändern können, wir selbst sind.

Uri ist ein Familienmensch. Die drei Töchter wohnen
samt Familien im nahen Umfeld, eine in einem Kib-
buz, die anderen beiden auf einer Farm, von der Uri
Zitrusfrüchte, Heil- und Küchenkräuter bezieht. 2020
wird er 76 Jahre alt. Langsam aufhören? Weit gefehlt.
Aktuell ist er in einem völlig anderen Bereich aktiv.
Zusammen mit einem Partner hat er auf die Möglich-
keit, mit der Alge Spirulina im pharmazeutischen
Bereich Neuland zu betreten, Patente angemeldet.
Ein Start-up. Einmal mehr Grenzen verschieben.

»Alle meine Freunde sind schon seit vielen Jahren im Ruhestand. Wenige von ihnen haben in ihrem Leben noch etwas, an dem sie tatsächlich interessiert sind. Sie sitzen stundenlang in Cafés und spielen Karten, reden Quatsch und kritisieren die ganze Welt. Ich habe überhaupt keine Ahnung, wie man in Rente geht und warum. Noch nie hatte ich so viel zu tun wie in meinem eigentlichen Pensionsalter. Meine Familie würde es auch nicht mitmachen, wenn ich den ganzen Tag zu Hause wäre. Ich freue mich meines Lebens, wenn ich arbeiten kann.«

Aber wahr ist auch: »Für meine Ruhe und für meine Fähigkeit, mich konzentrieren zu können, muss ich schlafen. Mindestens acht Stunden am Tag. Ich kann mich zu jeder Tageszeit in jede Ecke setzen oder legen und schlafe im Nu. Yael zieht mich immer damit auf, wie schnell ich einschlafe.«

AKKO UND DIE KOEXISTENZ

Handeln und Wohnen sind in Akko nicht immer scharf zu trennen.

Uri und Akko, das ist keine zufällige Verbindung, beileibe nicht. Es ist vielmehr der Schlüssel zu allem, was Uris Denken und Handeln ausmacht. Er spricht dabei oft von der Koexistenz, also vom Zusammenleben, und er macht es vor, privat wie geschäftlich. »Um mich und meine Arbeit zu verstehen, muss man Akko verstehen«, so Uri. Und deshalb werfen wir zunächst einen tiefen Blick in die Vergangenheit.

Akko ist nicht irgendeine Stadt, sie ist eine der ältesten Städte der Welt. Eine Besiedlung lässt sich bis zur Bronzezeit nachweisen, vor mehr als 5000 Jahren also. »Noch heute kommen jedes Jahr amerikanische Archäologen mit ihren Studenten für Grabungen und entdecken dabei jedes Mal noch ältere historische Schichten.«

Ägyptische und mesopotamische Schriften heben Akkos Bedeutung als wichtige Hafenstadt hervor. Phönizier, Perser, Griechen, Römer – sie alle gaben sich in dieser westgaliläischen Stadt die Klinke in die Hand, sogar in der Bibel wird sie im Buch Richter erwähnt. Akkos Lage war schon immer perfekt: ein wichtiger Posten zwischen Europa, Afrika und dem Osten auf dem Landweg. Umgeben von fruchtbarem Land und jeder Menge Frischwasser. Und weil das antike Akko wie eine Halbinsel geformt war, ließ sie sich auch gut verteidigen. Der Hafen war Vorbild für Rhodos, Valetta oder auch Dubrovnik.

Mit dem Jahr 638 n. Chr. kam die Stadt unter arabische Herrschaft, was für die wirtschaftliche Blüte insofern von Wichtigkeit war, als dass der ohnehin natürlich geschützte Hafen so ausgebaut wurde, dass bei jedem Wetter Schiffe einlaufen und Waren gelöscht werden konnten – als einzige Stadt in der gesamten Region. Das wiederum lockte die Kreuzfahrer an, die 1104 die Stadt einnahmen. Nun war Akko ein Zentrum für Pilger, Händler und die Kreuzritter und erblühte vollends. Zwar eroberte Sultan Saladin Akko kurzzeitig zurück, doch der dritte Kreuzzug unter Richard Löwenherz und Philipp II. stellte das alte Machtgefüge wieder her. Angeblich soll auch die österreichische Flagge genau zu dieser Zeit ihren Ursprung in Akko haben: Herzog Leopold V. von Österreich, der Richard Löwenherz begleitete, habe nach einer Verletzung sein blutiges Hemd ausgezogen und am Fahnenmast aufgehängt. Das Hemd, sonst durchweg rot, hatte nur dort einen weißen Streifen, wo der Gürtel verlaufen war. Weil Richard sich empörte, dass Leopold sein Hemd als Fahne gleichberechtigt mit England und Frankreich sehen wollte, warf er es in den Burggraben …

Johanniter- und Templerorden hatten ihre Sitze nach Akko verlegt, der Deutschorden wurde durch Kaufleute aus Lübeck und Bremen gegründet. Zahlreiche Bauten, darunter das Franziskanerkloster – gestiftet von Franz von Assisi und noch heute vorhanden – oder auch das Hospitaliter-Krankenhaus zeugen von dieser Phase Akkos. 1229 kam es zum Frieden von Jaffa, bei dem sich Kaiser Friedrich II. und der ayyubidische Sultan al-Kamil unter anderem darauf einigten, die Stadt unter die Verwaltung des Johanniterordens zu stellen. Es begann eine lange, ja sogar bis heute währende Verschmelzung und Koexistenz arabischer und westlicher Werte, auch wenn das Hickhack der Gegner noch eine Weile weiterging. 1799 versuchte Napoleon mehr als zwei Monate lang vergeblich, Akko einzunehmen. Der Legende nach zog er sich resigniert mit den Worten »Wer Akko erobert, erobert die Welt!« zurück. Zumindest seine zurückgelassenen Kanonen sind noch heute auf dem Festungswall zu besichtigen. 1920 wurde Akko den Briten zugeschlagen, die ohnehin das Mandat für Palästina hatten, seit Mai 1948 ist die Stadt Teil des Staates Israel.

Ja, und dann gibt es noch die Bahai, eine Religionsgemeinschaft, die die heiligen Schriften anderer Weltreligionen mit einbezieht und die Unterschiede zwischen den Religionen eher als Ausdruck verschiedener Bedürfnisse und kultureller Prägungen begreift. Was auch auf die Sufis und Jeshruti zutrifft, die ebenfalls in Akko präsent waren und sind.

Ein Besuch in Akko ist eine Zeitreise …

… mit eingebauter Entschleunigung.

»HEBRÄISCH, DEUTSCH UND ENGLISCH SPRECHE ICH NATÜRLICH, DANEBEN HABE ICH GRUNDKENNTNISSE IN ARABISCH, NIEDERLÄNDISCH, FRANZÖSISCH. UND EIGENTLICH IN ALLEN SPRACHEN. WENN DU LANGSAM SPRICHST, VERSTEHE ICH SCHNELL.«

Wir sind auf der Terrasse des Hotel »Efendi«, um uns herum Häuser der Bahai. Und ganz nahe ein Gebäude, das einst als Gefängnis genutzt wurde, und in dem Baha'ulla eingesperrt war, der Gründer und Religionsstifter der Bahai. Uri erklärt: »Sein Sohn, Abbas Effendi, kaufte ein Haus gegenüber dem Gefängnis, damit er seinen Vater jeden Tag wenigstens sehen konnte, von Fenster zu Fenster. Baha'ullas Lehrer Bahá sagte einmal, er habe einen Traum gehabt. Er hätte Baha'ulla auf einem Berg sitzen und in ein fruchtbares Tal hinunterblicken sehen. Das war in diesem Traum Akko, das er vom Berg in Haifa aus gesehen hat. Als Bahá starb, wurde er zunächst in Persien begraben, seinem Heimatland, aus dem ihn zuvor die Türken verjagt hatten, weil er ihnen zu mächtig geworden war. Später hat man darum gebeten, ihn wegen der Vision seines Lehrers in Akko bestatten zu dürfen. Die israelische Regierung hat es erlaubt, und dann hat man diesen berühmten Garten drüben in Haifa gebaut.«

All diese Verwerfungen in der Geschichte, dieses Wirrwarr, der Zoff der Kulturen haben ihre Spuren hinterlassen, mit Sicherheit. Vor allem bei den Mächtigen und im geopolitischen Gefüge der jeweiligen Zeiten. Ein kompletter Austausch der Bevölkerung ist damit nie wirklich einhergegangen, auch wenn immer Akzente und Impulse durch Neuankömmlinge hinzugekommen sind. Man hat sich angepasst, eingebracht, miteinander und untereinander arrangiert. Vor 1948 war Akko lange Zeit arabisch geprägt. Heute ist die Stadt zwar mehrheitlich zu etwa 65 Prozent von Juden bewohnt, in der Altstadt (2001 von der UNESCO zum Weltkulturerbe erhoben) sind es aber 95 Prozent israelische Araber. Ein Rundgang durch diese Altstadt zeigt wesentlich mehr orientalisches Flair als in den meisten anderen Städten des Landes, allenfalls die Altstadt Jerusalems setzt noch einen oben drauf. Die Läden werden von Handwerkern und Kleingewerbetreibenden geführt. Salim etwa ist ein Steinmetz, der seine Skulpturen ausschließlich mit mechanischen Werkzeugen wie Hammer und Meißel herstellt. Er arbeitet mit Sandstein, Basalt oder Marmor, alles Bruchstücke von altem Mauerwerk, die vor langer Zeit einmal hierher gebracht worden waren. Der Pita-Bäcker Fakhri ist schon über 80 Jahre alt, lässt es sich aber nicht nehmen, noch jeden Tag selbst die Brote in den Ofen zu schieben, den seine Familie vor etlichen Generationen selbst gemauert hat. Auch einen leicht verschrobenen Künstler lernen wir kennen, der die Altstadt mit plastischen Bildwerken aus alten Schuhen, Gießkannen oder auch mal einem Gartenstuhl als großes Outdoor-Atelier belebt.

»ES IST SCHLIMM, WENN DU IN
EINEN APFEL BEISST UND ES IST EIN
WURM DRIN. ABER WAS IST NOCH
SCHLIMMER? ES IST NUR NOCH EIN
HALBER WURM DRIN.«

Über allem liegt eine lässige Unaufgeregtheit. Selbst in den Marktgassen geht es weit weniger aufdringlich zu, als man es beispielsweise von Jerusalem her kennt. Es leben keine wohlhabenden Menschen in diesem Teil der Stadt. Viele Jugendliche sind tagsüber auf sich gestellt, da ihre Eltern arbeiten müssen. Lieber hängen sie herum, anstatt Hausaufgaben zu machen. Da gibt es dann Leute wie Tarschichani, der am Ende einer versteckten Seitengasse eine Boxschule betreibt. Er holt die Kids von der Straße und gibt ihnen eine Zukunft. Ein improvisierter Ring, selbstgebaute Fitnessgeräte, Gewichte und ein paar Plastikstühle sind die Ausstattung eines Raumes, der zuvor eine Werkstatt war. Einer seiner Schützlinge, gerade 15 Jahre alt, flog am Tag nach unserem Besuch für einen Kampf nach Berlin.

»Heute funktioniert hier das Zusammenleben der Menschen problemlos«, sagt Uri. »Und ich rede nicht nur von Juden und Arabern, sondern auch von allen anderen: Christen, Drusen, Sufis, Homosexuellen, Alten, Jungen, … Man lebt zusammen, feiert die Feste der Stadt gemeinsam, hat Achtung voreinander. Das geschieht aber nicht von selbst, alle müssen daran arbeiten. Unser jüdischer Bürgermeister

Shimon Lankri hat sich etwa einen arabischen Vize genommen, obwohl er das nicht musste. Es gibt regelmäßige Treffen der Führer aller wichtigen Gruppierungen, damit Probleme gelöst werden, bevor sie sich hochschaukeln. Die Leute begegnen sich mit Respekt und geben ein Beispiel für andere ab. Das ist für mich Koexistenz. Und vielleicht sind das die Gründe, warum die Polizei hier nicht so starke Präsenz zeigen muss wie an anderen Orten.«

Parallel dazu spinnt Uri den Faden der Koexistenzen noch weiter, indem er das Personal des Restaurants und des Hotel aus beiden Glaubensrichtungen – jüdisch wie arabisch – zusammensetzt und auch sonst allerlei individuelle Charaktere beschäftigt. Koexistenz ist für ihn das Hauptelement zum echten Miteinander in gegenseitiger Wertschätzung. »Wer mit dem anderen spricht, lernt ihn kennen, verliert die Angst vor ihm und muss ihn nicht bekämpfen. Es ist im Grunde völlig einfach, wenn man sich nicht über seine Mitmenschen stellt«, sagt er. Im »Uri Buri« und auch im »Efendi« klappt das wirklich ganz ausgezeichnet. Und womöglich wäre das im Laufe der Jahrtausende in Akkos Geschichte ab und an auch schon ratsam gewesen.

Künstler verwandeln Akko nachhaltig. Ein Spaziergang
durch die Altstadt ist eine Entdeckungsreise.

DAS »URI BURI« UND DIE IDEE DAHINTER

Das »Uri Buri« wird von vielen Menschen, die sich in Sachen Essen auskennen und Feinschmecker sind, als das beste Fischrestaurant im Nahen Osten bezeichnet. Und von noch mehr Gästen, die seit vielen Jahren immer wieder in das Lokal kommen. Woran liegt das? Die Küche ist weit entfernt von dem, was man gemeinhin als Gourmet- oder Sterneküche bezeichnet. Die Rezepte sind so aufgebaut, dass kein Gericht länger als zehn Minuten braucht, bis es fertig ist, und in aller Regel aus nicht mehr als acht Zutaten besteht. Kein Hexenwerk, aber vielleicht ist ja gerade das das Geheimnis des Erfolgs.

Das »Uri Buri« liegt am Rande von Akkos Altstadt, vom Mittelmeer nur durch eine Straße getrennt. Uri betreibt das Lokal an diesem Standort seit 1997, als er von seiner Heimatstadt Naharija nach Akko umgezogen war. Gleich neben dem Restaurant ist der Eingang zum Templertunnel, ein Verbindungsgang, mit dessen Hilfe die Templer früher Güter vom venezianischen Hafen in ihren Teil der Stadt bringen konnten, ohne den teureren Wegezoll der Pisaner zahlen zu müssen. 2017 erfolgte ein Umbau des »Uri Buri«, eine dringend notwendige Modernisierung. Selbstverständlich war der Laden während dieser Bauphase nicht geschlossen – man zog einfach in ein kurzerhand angemietetes Nebenhaus und verlegte innerhalb von 24 Stunden das komplette Restaurant mitsamt Küche dorthin. Nach zwei Monaten Umbauzeit ging es dann wieder zurück, ebenfalls innerhalb eines Tages.

Vor der Tür baumelt an einem massiven hölzernen Gestell immer noch das alte Restaurantschild. Uri wird des Öfteren darauf angesprochen, es doch einmal erneuern zu lassen, doch dies gehört nicht zu den Dingen, die ihm wirklich wichtig sind. Zum Meer hin blicken die Gäste von innen durch große Fenster. Die Einrichtung der Räumlichkeiten ist schlicht, aber einladend, auf Schnickschnack wird verzichtet. Die Tische stehen, der Nachfrage geschuldet, eher eng beieinander. Auch sie sind ohne Schmuck. Über den Köpfen der Gäste hängen von der Decke – zur Reduzierung des Geräuschpegels – bunte Kleidungsstücke. Alles Gewänder von Dorfarabern und Beduinen, die teilweise sogar heute noch so getragen werden. Ein klasse Einfall, ganz simpel umgesetzt und dazu ein weiteres Beispiel der Küchenphilosophie: Was zählt, ist das Wesentliche. Und es passt, weil es eine Tradition hat.

Tja – dieses alte Schild ist nach dem Umbau im Juni 2020 nun Geschichte.

Schlichtheit in allen Bereichen, nur nicht im Geschmack auf dem Teller.

»Um ein Restaurant bekannt zu machen und dieses dann auch erfolgreich zu führen, braucht es eine Idee, eine Leitlinie, die dahintersteht. Und daran muss man glauben. Sowie an sich selbst. Es darf nicht nur ums Geldverdienen gehen, das Ganze ist mehr als nur ein finanzielles Projekt. Wichtig ist es auch, eine angenehme Atmosphäre zu schaffen, einen Ort, an dem man sich rundherum wohlfühlt. Ein Restaurant im Stadtzentrum oder an einem beliebten Platz ist immer voll, da ist den Leuten das Ambiente eigentlich egal, sie wollen nur etwas essen und sich unterhalten. Wenn du aber ein Lokal hast, das sehr abgelegen liegt, dann fahren sie nur zu dir, wenn du ihnen etwas ganz Eigenes, Einzigartiges anbieten kannst. Unsere Gäste kommen aus aller Welt. Sie haben uns im Fernsehen gesehen, in der Zeitung von uns gelesen oder auch von Freunden von uns gehört – und den Rat bekommen: Wenn du in Israel in den Norden reist, musst du Akko sehen und das ›Uri Buri‹.«

Es klingt in keiner Weise arrogant, wie er das sagt, es ist schlicht eine Tatsache. Uri hat klein angefangen und ist seiner Idee stets treu geblieben. Das Drumherum, das Zelebrieren des Erfolgs, die Jagd nach Auszeichnungen, all das findet Uri ausgesprochen uninteressant. Das Wichtigste ist stets auf dem Teller. Dabei spielen Klarheit und Balance eine große Rolle. Und natürlich der Geschmack.

Uri ist voll des Lobes über seinen Küchenchef Ali: »Ein toller Mensch, fleißig und überall dort, wo man ihn braucht!«

»ES GIBT KEINEN SCHLECHTEN FISCH, ES GIBT NUR EINEN SCHLECHTEN KOCH.«

»Die einfachsten Sachen sind oft die größten Überraschungen. Warum? Weil man sie hier meist nicht erwartet. Beispielsweise können die Leute nicht aufgrund des Geschmacks begeistert sein, sondern wegen einer Idee. Ich habe einmal auf dem Markt einen ganz speziellen Mais entdeckt. Der hatte sehr kleine Körner, die unglaublich süß waren, wirklich unfassbar. Ich habe den Mais mitgenommen und dann überlegt, was ich damit machen könnte. Der Mais wurde in Salzwasser gekocht, die Körner von den Kolben abgestreift und durch ein Sieb passiert, danach ein wenig Zuckerwasser untergemischt. Das Püree war herrlich sämig und cremig, es hatte eine fantastische Konsistenz. Ich habe es dann in die Eismaschine gegeben und zu einer Art Sorbet verarbeitet. In Scheiben geschnitten bekamen es ein paar Stammgästen zum Probieren. Sie fanden das Sorbet interessant – aber der Wow-Effekt kam erst, nachdem ich ihnen erklärt hatte, was sie gerade gegessen hatten, nämlich Mais und nichts weiter. Solch eine Überraschung ist mir aber nicht genug, ich möchte, dass ein Produkt vom Geschmack, der Textur und der Ästhetik her überzeugt, nicht durch eine Erklärung. Das Seltsamste dabei aber war, dass noch Jahre später Leute bei mir anriefen und sagten, sie würden morgen zum Essen kommen und hofften, das Maiseis bestellen zu können. Ich habe es aber nie wieder gemacht. Es war für mich uninteressant.«

Uri sieht sich selbst als einen Praktiker in der Küche, weit entfernt von der Umsetzung einer Theorie. Und er ist außerdem ein Beobachter. Er verstünde durch die Fehler anderer immer besser, was er selbst tun müsse. »Alles, was ich mache, ist das Beste, das ich zu diesem Zeitpunkt weiß«, ist so ein typischer Satz von ihm. Oder auch: »Es gibt keine Regel ohne Ausnahmen. Und wenn es eine gibt ohne Ausnahmen, dann ist das die Ausnahme von der Regel.« Immer nur Zwischenaufnahmen zum Jetzt, immer dazulernen, nicht stehen bleiben. Weiterhin begreift er sich nicht in einem Wettbewerb mit anderen Küchen – vielleicht macht es jemand anders auf andere Art auch gut. Er könne daher niemanden kritisieren, wenn das Ergebnis ebenfalls prima sei, bloß weil der Weg dorthin anders verlaufe als bei ihm.

Und doch gibt es Punkte, die er voraussetzt, die ihm wichtig sind. »Alles hat viel mit Warenkunde zu tun, man muss wissen, womit man arbeitet und wie man es benutzt. Etwas Physik, etwas Chemie. Die Technik darf freilich nicht über der Zutat stehen. Das Endresultat ist das Wichtigste. Es gibt tausend Wege, es gut zu machen – und zweitausend oder noch mehr, es schlecht zu machen. Man kann, darf und muss ausprobieren, es hat keinen Wert an sich, eine Regel oder eine Vorgehensweise immer nur stur zu befolgen, denn alles hängt zusammen und muss am Ende eine runde Sache ergeben. Und ab und zu erfordert es eine Zutat vielleicht, dass ich einen anderen Weg gehe als sonst; es kann sein, dass ich Mengenverhältnisse oder dergleichen verändern, anpassen muss.«

Doch das ist Rezeptentwicklung, und die findet im täglichen Betrieb nicht statt – es ginge auch gar nicht. Denn die eigentliche Küche im »Uri Buri« ist wirklich winzig, unerfahrene Köche würden ständig aneinanderstoßen, mit drei Personen ist es am Herd übervoll. Doch es funktioniert. Warum? Weil hier lediglich noch der Feinschliff stattfindet. Durch den Hinterausgang gleich neben der Spülküche geht es ins Freie, dann ein paar Schritte hinüber zu einem anderen Gebäude. Hier befinden sich die Vorratskammern und die Kühlräume. Im »Uri Buri« ist Vorbereitung das A und O. Das Restaurant kann etwa 75 Personen besetzen, an sehr guten Tagen sind es 300 Gäste und mehr, die im Schnitt sechs bis sieben kleine Portionen essen. Das macht zu absoluten Hochzeiten an die 2000 Teller an einem Tag. Das kann man nicht aus dem Ärmel schütteln oder von Grund auf nach der Bestellung zubereiten. Mise en place ist das Allerwichtigste, was nichts anderes bedeutet, als viele Handgriffe schon gemacht zu haben, um nach der eingehenden Bestellung nur noch zusammenfügen zu müssen.

Am Morgen der Blick in die Kühlräume: Sie sind prall gefüllt mit geschlossenen Behältern, in denen portionierte Fische lagern, fein säuberlich getrennt. Dosen mit gehackten Kräutern, Saucen, Joghurt, einfach alles, was gekühlt werden und schnell greifbar sein muss. Im Raum nebenan ist die Butter für das selbst gemachte Ghee, ein Brotbackautomat und ein Dörrapparat, etwa für die getrocknete Wassermelone. Und eben sonst noch alles, was für den Betrieb des Tages vorbereitet ist.

In Uris Küche wird es nie laut. Womöglich ist der Grund dafür sein Wissen, nicht in Stress zu geraten, wenn etwas fehlt oder ausnahmsweise zu lange dauert. Erzählt allerdings jemand einen Witz, kann man vor Lachen sein eigenes Wort nicht mehr hören.

Im »Uri Buri« kann man, wie man es gewöhnt ist, die gewünschten Gerichte aus der Speisekarte wählen. Sehr viele der Gäste lassen sich aber auch von Überraschungsmenüs verwöhnen: Man sagt einfach der Bedienung, auf was man gerne verzichten möchte oder was einem nicht so sehr liegt – und wird dann Gang für Gang direkt aus der Küche heraus mit herrlichen Genüssen verführt. Damit es einem nicht zu viel wird, gibt man zwischendurch Bescheid, wie viel es noch sein darf. Das Ganze macht zum einen den Gästen sehr viel Spaß, zum anderen ermöglicht es der Küche, alle Abläufe optimal zu steuern.

Beim Durchprobieren der Gerichte fällt auf, dass sie nie ins Extreme rutschen, es herrscht stets eine große Harmonie. Selbst wenn es sich um ein sehr kleines Gericht handelt wie beispielsweise die Sharonfrucht mit Garnelen und Fischrogen, so ist von den jeweiligen Zutaten genau so viel davon auf dem Teller, dass man sie auch wirklich schmecken kann. Es geht immer um das Zusammenspiel der Texturen. Manchmal merkt man etwas mehr auf den Lippen, dann wieder mehr im Mund oder im Hals. Die Küche des »Uri Buri« spielt ganz bewusst mit Aromen und Festigkeiten, mit Schärfe, Säure, Süße oder Salz. Und das sollte man nicht nur im Kleinen kosten, sondern mit voller Gabel probieren. Erst wenn man von allen Zutaten etwas gleichzeitig im Mund hat, kann man die Idee des Gerichts in seiner ganzen Vollkommenheit so richtig wahrnehmen.

»Es gibt ein kleines Wort, das heißt ›zu‹, wie bei zu viel oder zu wenig«, sagt Uri. »Und genau in der Mitte sitzt die Balance, die man anstreben muss. Das gilt für alles, aber beim Würzen insbesondere für Zucker und Salz. Jede Zutat nimmt einer anderen etwas weg, daher ist es auch sinnvoll, mit möglichst wenigen Komponenten zu arbeiten, damit diese sich nicht zu sehr überlappen. Manchmal darf man aber schon einen Impuls setzen, etwa mit Schärfe, allerdings nicht so, dass alle anderen Aromen übertönt werden. Ein gutes Beispiel ist das Wasabisorbet beim Lachs. Es zieht nicht die ganze Aufmerksamkeit auf sich, setzt aber einen schönen Akzent. Dasselbe gilt für Säure. Sie darf eine kurze Überraschung sein, die schnell wieder vergeht. Auch soll der Gast selbst bestimmen können, wieviel Kick er haben möchte, also reichen wir beispielsweise Zitrone dazu, anstatt ihm unseren Geschmack aufzuzwingen. Manchmal sind die Gewürze in einem Gericht so bestimmend, dass es nichts mehr mit den Ausgangsprodukten zu tun hat, diese nicht mehr erkennbar sind. Asiatische Speisen sind manchmal so scharf, dass man nicht schmeckt, was eigentlich alles drin steckt.«

»Oder das Arbeiten mit Olivenöl, schauen wir uns das an. Junges Öl ist oft recht aggressiv und grün im Geschmack, das passt für viele Gerichte überhaupt nicht. Ich verwende inzwischen für Fisch überwiegend Olivenöl, das mindestens ein halbes Jahr alt ist und ein abgerundetes Aroma hat.«

»Lebensmittel reagieren ganz unterschiedlich auf Salz. Manche profitieren davon und bekommen auf diese Weise im Gericht einen anderen Platz in der Hierarchie. Somit kann ich also bestimmen, was sich wie präsentieren soll oder darf. Gibst du beispielsweise in ein Püree von Blumenkohl oder Kartoffeln oder Mais überall gut Salz dazu, gleichen sich die Geschmäcker weitgehend an und die einzelnen Püreesorten lassen sich kaum mehr unterscheiden. Belässt du aber den Eigengeschmack der Gemüse und bist sparsam mit dem Salz, hebst du deren Eigengeschmäcker«, erklärt Uri.

Und hier noch ein paar Hauptregeln, die in Uris Küche eine wichtige Rolle spielen:

• Es werden nur Gerichte serviert, die Uri selbst gerne isst.

• Es kommt nichts auf den Teller, was nicht zur Geschmacksbalance gehört.

• Alles auf dem Teller ist essbar.

• Es dürfen maximal acht bis neun Zutaten pro Gericht sein, außer bei adaptierten orientalischen oder asiatischen Rezepten.

• Alle Zutaten müssen superfrisch und von bester Qualität sein. Lieber wird auf einen bestimmten Fisch verzichtet, wenn er nicht so zu bekommen ist, wie Uri ihn haben möchte.

• Auf den Tellern findet man keine aufgeschichteten »Berge«, das Arrangement ist flach.

• Jeder Teller hat seine eigene Ästhetik! Es braucht keine Extras, keine Blüten und anderen Schmuck, die das Gericht unnötig teuer machen würden.

Und hier der wichtigste Punkt: der Geschmack. Ihm ist alles untergeordnet. Bekommt ein Gast ein Gericht und es schmeckt ihm, hat Uri sein Ziel erreicht. Nur dann. Findet der Gast es »interessant«, hat es ihm nicht geschmeckt. So einfach ist das.

DAS TEAM

»Alle Menschen arbeiten bei mir gleichberechtigt zusammen ohne Unterschied hinsichtlich Religion, Glauben, Geschlecht, Alter oder Parteineigung. Das funktioniert ganz wunderbar.«

Es ist noch früh am Morgen, gerade mal 9:00 Uhr. Draußen vorm Lokal, entlang der Kaimauer, ist bis jetzt alles ruhig, es sind lediglich ein paar Jogger unterwegs. Im Restaurant wird allerdings schon gearbeitet, es laufen die Vorbereitungen für den zu erwartenden Ansturm der Gäste ab 12:00 Uhr. Uri ist noch gar nicht da, er muss es auch nicht sein. Alles scheint wie bei einer gut geölten Maschine ineinanderzugreifen. An einem Tisch sitzen zwei Mitarbeiter, rollen die Handtücher für die Toiletten, stecken sie in Kästen und achten darauf, dass alles gleichmäßig aussieht. Ein Kollege geht mit einem Eimer Wasser und einem Gummiabzieher nach draußen, um die Fenster zu putzen. Wieder andere decken die Tische, polieren Gläser, füllen Getränke auf. Nirgends ist es hektisch oder laut, die Gesichter sind entspannt, die Stimmung bestens.

In der Küche das gleiche Bild: Die Vorbereitungen laufen. Der Joghurt wird frisch angesetzt, auf dem Herd steht ein riesiger Topf, in dem die Pilze für die Suppe vor sich hin köcheln. Eine Mitarbeiterin schneidet Fischfilets in hauchdünne Scheiben, die dann auf Folien in der Größe der späteren Tellerportionen arrangiert und aufeinandergestapelt werden. Ein Kollege kümmert sich um die Eiscremes und Sorbets, die so manchen Gerichten erst den Clou verleihen. Ali, der arabische Küchenchef und schon seit 17 Jahren mit dabei, hat sein Reich im Griff.

Am Morgen ist eine Lieferung Fisch angekommen. Während einer aus dem Team die Ware auspackt, nimmt sich jemand anders des herrlich aussehenden Thunfischs an und schneidet ihn so zurecht, dass er für die entsprechenden Gerichte weiterverwertbar ist. Doch Moment – ist das nicht diejenige aus dem Team, die gestern fast den ganzen Tag an der Spülstation stand und vorgestern das Eis herstellte?

»Bei uns gibt es keine oder nur sehr flache Hierarchien«, sagt Uri, »denn jeder kann so gut wie alles, daher ist er auch überall einsetzbar. Und das ist auch genau der Grund, warum ich keine fertig ausgebildeten Leute bei mir einstelle. Es ist für mich wesentlich einfacher, Menschen zu nehmen, die noch kein Fachwissen haben. Dann sind sie nicht vorbelastet und auch viel offener.« Er möchte nicht, dass seine Mitarbeiter ihn mit »Chef« ansprechen, das würde eine zu große Distanz schaffen. Jeder kann Pausen machen, eine rauchen gehen, das stets vorherrschende Zauberwort heißt »Respekt«. »Und das gilt immer und jedem gegenüber, egal wer er ist, was er vorher gemacht hat, was er kann, woran er glaubt oder meinetwegen auch nicht glaubt«, sagt Uri. »Wer heute die Fenster putzt, rührt morgen den Joghurt an.« Ganz konkret wird das wenige Stunden später, als Ali einen Teller Lachscarpaccio mit Sojasauce anrichtet, mit ganz normaler, nicht im Mindesten erhobener Stimme das Wort »Wasabi« in den Nebenraum spricht – woraufhin die Spülhilfe ihre Arbeit kurz unterbricht, sich einen Eisportionierer schnappt und aus der Kühltruhe gegenüber eine Kugel Wasabisorbet absticht, um sie auf dem Carpaccio zu portionieren. Damit ist der Teller fertig, Ali kann weiterkochen, die Spülhilfe weiterspülen. Man spricht sich ab, wer morgen was macht, ganz simpel. Ein perfektes Räderwerk.

»DER KELLNER BRINGT DIE TELLER AN DEN TISCH UND HÄLT DABEI DAS FLEISCH MIT DEN FINGERN FEST. ›WARUM MACHEN SIE DAS?‹, FRAGT DER GAST. ›NA, ICH MÖCHTE NICHT, DASS ES NOCH MAL HERUNTERFÄLLT‹, ANTWORTET DER KELLNER.«

Alles geben für den
klaren Durchblick: jeden
Tag Fenster putzen …

»Auch die Sanitärräume müssen ansprechend sein«, findet Uri.

»DAS MIT DEN KÖCHEN IST EINE GROSSE SACHE GEWORDEN – DABEI SIND ES NUR KÖCHE!«

Seine Leute findet Uri quasi »auf der Straße«, wie er es ganz gern bezeichnet. Natürlich sind darunter auch etliche Studenten, die oft im Service arbeiten. Doch es sind häufig auch Leute wie Matan, der eines Tages spontan auf einen Überraschungsbesuch vorbeischaut, um Uri eine Freude zu machen. Matan kam aus einem Heim für schwer erziehbare Jugendliche in Akko. Vom 15. bis zu seinem 18. Lebensjahr arbeitete er bei Uri, ging danach zum Militär und erzählt nun ganz stolz, dass er in Afula vor einem Jahr sein eigenes Cateringunternehmen gegründet hat. »Uri war der beste Lehrer meines Lebens«, ist er heute seinem ehemaligen Meister dankbar.

Es gab und gibt viele Matans bei Uri. Einwanderer, Neuankömmlinge, Menschen, die sich anderswo etwas schwer tun – sie alle bekommen ihre Chance bei ihm. Er nimmt bewusst keine ausgebildeten Köche, die ihm zu eingefahren sind im Kopf, er möchte Mitarbeiter, die offen und interessiert sind, denen er noch etwas beibringen kann. Es ist kein Honigschlecken, das ist es in der Gastronomie nie, doch durch die flachen Hierarchien ist man ganz anders integriert. Jeder Neue bekommt ein Heft, in dem alle Pflichten und Aufgaben aufgelistet sind. Dieses liest er sich durch, um sich erst einmal einen generellen Überblick zu verschaffen. Anschließend führt ihn Laura, Uris langjährigste Mitarbeiterin und so etwas wie die Personalchefin, näher ein, macht ihn mit dem gesamten Team be-kannt. Das alles stärkt den Neuen – und auch das gesamte Team, schließlich ist jede Kette nur so stark wie ihr schwächstes Glied.

Laura ist schon seit 1994 bei ihm, noch vor ihrer Mili-tärzeit hat sie im »Uri Buri« angefangen. Inzwischen kümmert sie sich zusätzlich als Restaurantmanagerin auch um die Organisation und um die notwendigen Bestellungen in Sachen Food & Wine. Und Schachar ist der ewig gut gelaunte Sommelier, ein echter Spaßmacher in der ganzen Truppe. Meist hat er eine bunte Strickmütze auf dem Kopf, unter der er seine mächtigen Dreadlocks verbirgt. Anja, auch sie ist schon länger dabei, hält sich lieber im Hintergrund und macht gerne Vorbereitungsarbeiten oder Spüldienst. »Es sagt schon etwas aus, dass unsere Mitarbeiter sehr lange bei uns bleiben. Ich weiß von keinem Lokal in Israel, wo das Personal vergleichbar lange bleibt. Das ist wichtig fürs Team selbst, aber auch für unsere Gäste – man kennt sich über viele Jahre, ist sich vertraut.«

»Es gibt bei uns keine Vorschriften, was jemand an Kleidung zu tragen hat, ich will keine Ansammlung von Pinguinen«, erklärt Uri. Die Leute im Service sollen sauber und ordentlich angezogen sein, doch niemand muss seine Persönlichkeit vor der Türe ablegen. Deshalb gibt es auch keine Regeln, wie die Gäste am Tisch angesprochen werden sollen. »Ich sage ihnen immer, dass sie sich nicht zu verstellen brauchen. Ihr müsst nicht besonders witzig oder cool sein, wenn es nicht zu euch passt. Ihr solltet am Tisch so reagieren, wie der Gast es von sich aus signalisiert. Die einen wollen mehr, die anderen weniger Zuwendung, aber sie wollen es authentisch. Vom Restaurant her und von den Menschen her. Sie sollen ruhig das empfehlen, was sie selbst gerne essen, denn alle Mitarbeiter kennen die komplette Speisekarte. Unsere Bedienungen sind nicht nur dafür da, das Essen aus der Küche an den Tisch zu bringen, sie sollen dem Gast etwas vermitteln, Echtheit, Transparenz, Glaubwürdigkeit.

Wir motivieren unsere Gäste auch immer wieder, andere kleine Sachen zu bestellen als die, die sie vielleicht schon kennen. Ich hätte zwar über unser Online-Kassensystem die Möglichkeit, jederzeit bei jedem Kellner zu überprüfen, wie viel Essen oder wie viel Wein er an dem Tag verkauft hat, doch das habe ich noch niemals gemacht. Wenn die Gäste sich beim Nach-Hause-Gehen überlegen, wann sie mit wem wieder zu uns kommen können, ist das viel, viel mehr wert. Sieht ein Kellner, dass einem Gast etwas nicht schmeckt, kann er ihm kosten-frei ein anderes Gericht bringen, ohne mich oder jemand anders fragen zu müssen. Ein Essen, das zurückkommt, ist nicht so schlimm wie ein Gast, der nicht zurückkommt.«

Ein kleines Päuschen bei der Fisch-vorbereitung darf auch mal sein.

Und die Köche sind nicht zum Putzen da. Sie versorgen abends ihre Lebensmittel, das ist klar, doch Uri hat einen Mann, der nachts kommt und den ganzen Laden wieder sauber macht. Er nimmt ganz früh morgens sogar neue Ware an. Uri ist es ganz recht, wenn immer jemand im Restaurant ist, rund um die Uhr. Einfach auch unter dem Aspekt der Sicherheit, falls einmal ein Kurzschluss oder sonst etwas entsteht. Ist schon zweimal passiert.

Auch Omer, einer von Uris Enkeln, hat schon in der Küche mitgeholfen, als er gerade mal 13 Jahre alt war. Er leidet, wie Uri selbst, unter AHDS und hatte massive Probleme in der Schule. Uri nahm ihn zu sich und verstieß damit gegen das Jugendarbeitsschutzgesetz. »Ich wäre bereit gewesen, dafür vor Gericht gestellt zu werden«, sagt er im Nachhinein. Doch Omer fügte sich gut ein, war für einfache Sachen wie Salat vorbereiten, Tomaten schneiden und dergleichen zuständig. Und er wurde immer besser. An einem arabischen Feiertag war Omer sogar der Chef in der Küche, weil Ali und die anderen zum Feiern gehen wollten.

»Man kann in der Küche die Leute mehr und besser motivieren als irgendwo sonst«, verrät Uri. »Denn dort bereiten sie selbst Dinge zu, die andere dann mit Freude und Genuss essen. Und das macht sie unglaublich stolz und treibt sie an.«

Uri versucht stets, seine Mannschaft zu stärken und ihnen mehr Verantwortung und Aufgaben zu übertragen. Damit es auch gut funktioniert, wenn er nicht da ist. Das drückt sich beispielsweise in der Möglichkeit aus, Fortbildungen zu besuchen. So wie bei Ahmed. Nach zwei Jahren in der Küche schickte ihn Uri über das Arbeitsministerium in die Schule, wo er Kurse besuchte und sich über die Zeit immer mehr Wissen in allen möglichen Bereichen aneignete. Mit den Zertifikaten, die er dabei erhalten hat, könnte er im Grunde überall anheuern – doch warum sollte er? Das Team hat eine eigene WhatsApp-Gruppe und spricht sich vielfach ab, tauscht sich aus, stärkt sich gegenseitig den Rücken. Es ist keine Insel der Glückseligen, doch der Zusammenhalt ist groß.

In der Corona-Zeit, als auch in Israel alle Restaurants geschlossen bleiben mussten, telefonierte Uri mindestens wöchentlich mit fast all seinen Mitarbeitern, die sich unsicher waren, wie ihr Leben weitergehen würde. Uri sprach ihnen zu und entließ nicht einen einzigen. Im Gegenteil: Er stellte sogar zusätzlich Leute ein als Wachpersonal für das Restaurant und das Hotel. Als es dann wieder aufwärts ging und die Türen geöffnet wurden, waren alle überglücklich mit Feuereifer dabei.

Wieder mal zeigt sich der Vorteil des im »Uri Buri« gelebten Universalismus. Es gibt keinen Chef, der so genial ist, dass er etwas ganz alleine schaffen kann. Also lautet die Frage, wie stellt er sein Team auf und wie führt er es? Gelingt einem Chef das prima, hat er Mitarbeiter, die lange, gerne und sehr gut arbeiten. »Bei uns klappt das super, weil nicht jeder eine ganz bestimmte Position hat, die er verteidigen muss. Alles greift ineinander. Auf die Art und Weise wird zudem viel an Manpower eingespart. Ich habe aber auch schon andere Möglichkeiten der Motivation ausprobiert, natürlich auch den Anreiz Geld. Ich habe das Team aufgefordert, effektiver zu arbeiten. Und dann wurde der erwirtschaftete Gewinn aufgeteilt: eine Hälfte für das Unternehmen, die andere für alle beteiligten Mitarbeiter. Das sorgte zum einen dafür, dass sich die Mitarbeiter mehr für die Sache eingesetzt haben, und zum anderen – ganz automatisch – für den Ausschluss all derjenigen, die nicht voll und ganz mit dabei waren. Aber so ein System ist für manche zu kompliziert, also habe ich das wieder fallen lassen. Inzwischen läuft es intern nahezu von alleine rund.«

»In Israel ist in Sachen Lohn einiges vorgegeben. Der Mindestlohn beträgt etwa acht Euro pro Stunde bei einem Acht-Stunden-Tag, welcher eine halbe Stunde Pause beinhaltet. Zwei Stunden mehr am Tag werden mit 25 Prozent Zuschlag bezahlt, weitere zwei mit 50 Prozent, doch darüber hinaus darfst du nicht arbeiten. An Freitagen, also am Schabatt, gibt es grundsätzlich 50 Prozent mehr pro Stunde, an bestimmten Feiertagen sogar 100 Prozent mehr. Bei den Trinkgeldern handhaben wir das anders als die meisten Restaurants in Israel: Sie werden nicht mit dem Lohn verrechnet, sondern kommen auf diesen drauf. Und sie werden im »Uri Buri« übrigens mit der Küche geteilt. Die Köche sollen bewusst lernen, dass der Erfolg des Restaurants auch ihr Erfolg ist.«

»Wenn man in der Küche mit Juden und Arabern und überhaupt mit Menschen aus verschiedenen Religionen arbeitet, kann es zu Schwierigkeiten kommen. Auch durch vielleicht generellen Frust durch das Zusammenleben in der Gesellschaft. Das darf man nicht ignorieren, sondern man muss das Problem neutralisieren. Man kann das Thema nicht mit Schreierei lösen, sondern muss lernen, wie man Respekt bildet. Alle können mich ansprechen, wann immer sie wollen – aber stets mit Respekt und nie mit hohen Tönen. Ohne Distanz, aber mit Respekt. In dieser multikulturellen Atmosphäre ein Team zu bilden, das funktioniert, ist eine Herausforderung. Doch es geht, und es ist bei uns sehr effektiv.«

Und die Bäume wachsen ja
doch in den Himmel!

HOTEL »EFENDI«

Wahre Liebe zum Detail: Dem
Original wurde hier wieder auf
die Sprünge geholfen.

Uri ist ein umtriebiger Mensch, der sich mit vielen
verschiedenen Dingen gleichzeitig beschäftigen will
und kann. Ein Projekt, das ihm schon lange im Kopf
herumgegangen war, war die Idee eines eigenen
Boutique-Hotels. Das durfte natürlich nicht nur ein
schicker Neubau sein – es sollte etwas Besonderes
werden. Ein Ort, der den Besucher zum Staunen
bringt und ihn überrascht, bei größtmöglichem
Wohlfühlfaktor selbstverständlich. Bedingungen:
Es musste in Akkos Altstadt sein, und am besten
ein Gebäude mit Charakter, das sich entsprechend
umgestalten ließ.

Auf der Suche danach stieß Uri zunächst auf ein
Haus, gleich hinter dem Restaurant gelegen, das
schon 17 Jahre lang leer stand. Fünf Zimmer wollte
er dort unterbringen, doch der Kauf war partout
nicht möglich. Kurz darauf wurde ihm, nur wenige
Straßen entfernt, im Jahre 2001 quasi ein Doppel-
objekt angeboten: zwei benachbarte Gebäude,
die zu osmanischer Zeit im 19. Jahrhundert als
»Effendi-Häuser« bekannt waren. Alte Paläste, die
auf den Trümmern ihrer Vorgänger errichtet worden
waren. In diesen Steinen lebte Geschichte, die
ältesten Mauern konnten byzantinischer Architektur
aus dem 6. Jahrhundert zugeordnet werden. Ein
Kellergewölbe stammte nachweislich aus der
Kreuzfahrerzeit im 12. Jahrhundert, und natürlich
fanden sich Zeugnisse aus den Zeiten türkischer

Herrschaft. Insgesamt konnten bei den beiden Gebäuden sieben verschiedene Bauschichten klassifiziert werden. Zudem belegten Funde wie ein großer, inzwischen wieder zusammengesetzter Krug, Münzen, Teller und Gläser aus Zypern sowie weitere Relikte die reiche Vergangenheit.

Die noch vorhandene Architektur der Häuser war von einem französischen Stil geprägt, wie bei den meisten Gebäuden Akkos üblich. Die Besitzer waren stets äußerst wohlhabend. Allerdings war es erst ab 1840 möglich Eigentümer zu werden. Bis zu diesem Zeitpunkt gehörten nämlich alle prächtigen Häuser auf dem Papier dem Sultan, der Wohnerlaubnisrechte vergab. Als dieser dann dringend Geld brauchte, durften die Bewohner endlich Eigentümer werden. Die neuen Hausherren investierten zuhauf und es gab einen regelrechten Bauboom. Doch in Akko fehlte es an Handwerkern. Diese kamen samt vieler Architekten und Künstler aus dem Libanon, das unter französischem Mandat stand. Und darum wurde in Akko so gebaut, wie die Zuwanderer es kannten und mochten.

Insgesamt genau das Richtige für Uri – denn auch die Restaurierung sollte sich zur echten Herausforderung entwickeln. Die beiden Gebäude waren unter eigenen Namen bekannt. Das eine nannte man Afifi-, später Wizo-Haus, das andere war das Hamar- oder Shukri-Haus. Doch beide verband eine Gemeinsamkeit: Es waren heruntergekommene Ruinen, die Dächer teilweise eingestürzt. Solange sich eines der Häuser noch in halbwegs intaktem Zustand befand, war darin ein Kindergarten untergebracht. Als es aber irgendwann zu gefährlich wurde, ließen die städtischen Behörden alles verrammeln, der Zutritt war strengstens untersagt.

»Was jetzt ein einheitliches, verbundenes Haus ist, war in einem furchtbaren Zustand, als ich es gekauft habe. Die intensiven Umbau- und Restaurierungsarbeiten entwickelten sich zu einer Art Konvent der Ingenieure. Es ist das Haus mit dem höchsten Kon-servierungslevel in ganz Israel, sprich: Nirgendwo sonst hat man so überaus pingelig und gewissenhaft versucht, es in seinen ursprünglichen Zustand zurückzuversetzen. Das kann man etwa an den Malereien, an den Wandbespannungen aus der zweiten Hälfte des 19. Jahrhunderts sehen. Die Teppiche, das sind echte Ziegler-Teppiche. Philipp Ziegler, eigentlich ein Schweizer Unternehmer, der aber eine Tuchfirma in Manchester betrieb, baute sich damals in Persien ein weiteres Standbein mit einer Teppichmanufaktur-Kooperation auf. Merino-Wolle wurde dafür nach Persien exportiert. Ich habe gekauft, was ich davon noch finden konnte. Einerseits wegen der Entstehungszeit, die passt auch gut zum Haus, andererseits weil diese Teppiche keine Konkurrenz für die Kunst an den Wänden ist. Sie haben saubere, klare Farben, sind viel in Beige gehalten und schön strukturiert. Im Grunde haben wir, was die Architektur angeht, also die ganzen Räumlichkeiten, fast nichts neu gemacht – aber wir haben alles auseinandergenommen, gesäubert, repariert, wo es etwas zu reparieren gab, und dann wieder zusammengesetzt. Fast alle Fenster wurden dem ursprünglichen Stil nachempfunden und zudem dreifach verglast, doch zwei große Fenster des Saals, durch die man hinaus zur Terrasse schauen kann, sind tatsächlich noch original. Man muss schon einen ganz besonderen Idioten finden, der sich diese ganze Arbeit macht.«

Tatsächlich sprechen wir hier nicht von der bloßen Wiederinstandsetzung eines Gebäudekomplexes. Bei jedem Schritt, bei jeder Drehung des Kopfes fallen Details auf, die einfach nicht neu sein können, sondern die in mühevollster Kleinarbeit restauriert wurden – von einem riesigen Heer an Experten und Künstlern. Besonders auffällig ist das an den Decken- und Wandmalereien zu sehen. Italienische Kunsthandwerker waren gefühlte Ewigkeiten damit beschäftigt, die vorhandenen Farbmuster, Bordüren oder auch Stuckarbeiten originalgetreu wiederaufleben zu lassen. Ein Fresko konnte freigelegt und rekonstruiert werden. Es zeigt eine Stadtansicht Istanbuls und wurde 1878 von Johannes Saliba zur Grundsteinlegung der Istanbuler Endstation des Orientexpress erschaffen. »Saliba hatte wohl noch nie zuvor eine Eisenbahn gesehen, was man dem Fresko auch anmerkt«, schmunzelt Uri, »er hat sie so gezeichnet wie die Karren der Templer.«

Nach 1918 wurde in einem Gang offenbar der Fußboden neu verlegt und man musste mit zusätzlichem Material ausgleichen. Dafür hat man in Haifa Steinplatten geklaut. Und auf einer dieser Platten ist das eingraviert, denn da steht »Haifa War Cemetery«, mit der Jahreszahl 1918. Jemand wollte es wohl wegschlagen, hat es aber nicht gut genug gemacht.

»Das ›Efendi‹ ist sehr großzügig angelegt, was die einzelnen Lebensräume angeht, also nicht nur die Zimmer an sich, sondern auch die frei zugänglichen Bereiche. Wir waren mit Investoren im Gespräch, die alle meinten, dass es unter 20 Zimmern nicht gehen

»DIE KERAMISCHEN ELEMENTE, DIE MAN IM HAUS SIEHT, MACHT DIE FRAU MEINES COMPAGNONS IN HANDARBEIT.«

würde, das lohne sich nicht. Wir haben jetzt zwölf. Ich habe immer gesagt, die Speisestärke dieses Hauses ist die Authentizität, und darum war es so wichtig für mich, das auch entsprechend zu halten. Das Haus von damals war unglaublich weitläufig angelegt – und ist es jetzt eben auch noch. Und man kann die Geschichte weiter erzählen. Genau deshalb haben wir etwa die alten Malereien an den Decken, die noch bruchstückhaft vorhanden waren, bewahrt und nachgemalt.«

Man möchte manches
Zimmer am liebsten
einpacken und mit nach
Hause nehmen …

Überall sind, während man durchs Haus schlendert, Leute am Ausbessern, am Putzen, am Nachmalen. Es ist ein beständiger Prozess. Was die Hotelzimmer angeht, gibt es kein Standardmaß. Das kleinste hat 24, das größte 51 Quadratmeter. Manche besitzen Holzdecken, andere Decken aus Stein mit Stuck. Die Einrichtung besteht aus Unikaten, von den Betten und Sesseln bis hin zu den Badewannen und Waschbecken oder Spiegeln. »Setz dich mal in diesen Sessel da – er ist 112 Jahre alt! Bequem, oder nicht?« Die Zimmertüren sind akustische Türen. Sind sie zu, hört man absolut keine Außengeräusche. Es gibt nirgends eine sichtbare Klimaanlage. »Die war aber tatsächlich sehr schwer zu verstecken«, verrät Uri.

In einem weiteren Raum sind die Stoffe aus ägyptischer Baumwolle. Die Kerzenhalter (die früher eigentlich Öllampen waren) sind, wie man es damals hatte, mit 22 Karat Gold veredelt. Der Tisch, der in einem Saal vor dem Ausgang zu einem Balkon steht, stammt aus einem Kloster, ist uralt und wiegt eine Tonne. Die Keramiken auf den Wandvorsprüngen und Tischen sind von der Frau seines Compagnons angefertigt, die meisten anderen Dinge gesammelt aus Liebhaberei, über Jahrzehnte hinweg.

Der großzügige Lobbybereich des Hotels war nach einem Brand lange eine Ruine gewesen. Heute blickt man an die Decke und kann wieder staunen über feinsäuberlich ausgebesserte Kreuzgewölbe, wobei die Reparaturen kaum merklich ins Gesamtgefüge eingebracht wurden. An einer Wand verdeckt eine Verkleidung den Notausgang. Sie ist in einem orientalischen Muster gelasert, die je nach einfallendem Licht ihre Farbe zwischen Grau, Gold, Braun oder Beige changieren lässt. Ein Nebenraum diente einst als Kirche, das Gewölbe aus der Kreuzfahrerzeit mit seinen fast 1000 Jahre alten Mauern ist heute eine Weinbar. In die oberen Zimmer gelangt man, wenn man möchte, auch über einen Aufzug. Uri weist nach links, in einen Gang: »Das ist der ottomanische Teil«, und dann auf den Lift, »und das der automatische.«

Eine Treppe hoch sind ein Tagungsraum sowie ein kleiner Spa-Bereich mit Hamam und Massageanwendungen, individuell, aber auch für Paare. Erneut ist das Private, das Persönliche betont. Man darf als Gast ruhig das Gefühl haben, fast zu Hause zu sein – vielleicht sogar mit mehr Annehmlichkeiten. Wer hat schon ein eigenes Dampfbad?

»Der Pascha von Akko, der vom Sultan als Statt-halter eingesetzt worden war, verliebte sich in eine junge Frau, die als Masseurin arbeitete. Er baute ihr den Hamam, wo er sie oft besuchte und sich ver-wöhnen ließ. Ständig erfand er Ausreden, um sich von zu Hause wegzuschleichen und zu ihr in den Hamam kommen zu können. Mit der Zeit kam ihm seine Frau aber auf die Schliche. Als ihr Mann wieder einmal geschäftlich in die Türkei reisen musste, ging sie mit ihren Leuten zur Masseurin und jagte sie aus der Stadt. Sie sagte ihr, wenn sie je zurückkehren würde, würde sie geschlachtet werden«, erzählt Uri.

Achteinhalb Jahre hat Uri an dem Haus gearbeitet, bis es eröffnet werden konnte. Es ist ein Haus für Menschen, die wie er viel reisen, und die einen Ort wie diesen zu schätzen und zu würdigen wissen. Da sind es die Kleinigkeiten, die viel zählen und den Unterschied ausmachen, nie die großen Dinge. Alle Getränke im Zimmerkühlschrank sind gratis, eben-so – überall im Haus – der Kaffee, der Tee, die Säfte und Softdrinks. Und die Medjoul-Datteln in den Keramikschalen – »die besten Datteln, die es gibt!«

Hat sich Uri mit dem »Efendi« einen Traum erfüllt?

»Nein, ich glaube nicht an Träume. Aber wenn du
einen Traum wahr machen möchtest, muss du erst
einmal aufwachen. Alles, was man macht, muss auch
einer logischen Überprüfung standhalten. Es ist für
mich komisch zu denken, da ist ein Engel herbei-
geflogen und hat mir etwas ins Ohr geflüstert. Man
sollte auch keine Ziele festsetzen, sonst ist der Weg
ja bereits vorgegeben. Einer Idee zu folgen und
jeden Tag flexibel zu bleiben, zu lernen, nichts in
der kürzesten Zeit oder am billigsten machen zu
wollen, das führt zu den besten Ergebnissen.«

Das Hotel »Efendi« hat sofort richtig eingeschlagen
und ist zu einem gastlichen Haus geworden, das
jetzt schon weltweit seine Fans hat. Es war, wie
Uri es ausdrückt, der »game changer« von Akko.
Nie zuvor hat jemand in der jüngeren Geschichte
in dieser Stadt privat so viel investiert. Dieses Hotel
ist der Luxus einer Auszeit wie in der Vergangenheit,
verbunden mit den Annehmlichkeiten des Jetzt.
Es ist von außen so unspektakulär und unscheinbar,
dass man gar nicht erkennt, was sich dahinter verbirgt. Auch das ist eine Nuance, die Uri bewusst so
gehalten hat. Innen mehr zu sein, was das Äußere
verspricht, ist ganz sein Stil.

»MEIN VATER MEINTE BEI SEINEN SCHÜLERN IN DER
LANDWIRTSCHAFTSSCHULE, DAS WERDEN ALLE MAL
PFIRSICHBAUERN. JEDER BAUT FÜR SICH.«

KÜCHEN-PRAXIS

Jetzt gilt es: Fisch ist etwas komplizierter in der Handhabung als Fleisch. Doch ich zeige dir, wie es geht.

EIN PAAR WORTE VORNEWEG

»Frische ist der wohl wichtigste Aspekt, wenn es um Fisch geht. Und es gibt die unterschiedlichsten Wege und Möglichkeiten, zu dieser Frische zu kommen. Man kann sich seinen Fisch selber angeln und diesen dann sofort verwerten – doch das ist im Alltag kein tauglicher Ansatz. Die meisten von uns sind darauf angewiesen, das zu nehmen, was der Fischhändler in den Auslagen hat. Und gerade darum ist das folgende Kapitel von größter Wichtigkeit, denn hier geht es um den Kauf, die Lagerung und die Verarbeitung von Fisch und Meeresfrüchten: Du sollst verstehen, worauf es ankommt. Du sollst wissen, ob ein Fisch wirklich frisch ist.

Ein Fischhändler merkt einem Kunden sofort an, ob er Ahnung hat oder ob jetzt gerade die Gelegenheit günstig wäre, schon etwas ältere Ware an den Mann oder die Frau zu bringen. Ich habe das selbst einmal auf einem Markt in Vietnam erlebt. Als ich vor einem Stand mit Fisch wartete, sagte die Verkäuferin zu ihrem Mann: ›Der versteht viel von Fisch!‹. Ich hatte aber noch gar nichts gesagt. Ihr Zusatz: ›Ich habe gesehen, wo seine Augen hingegangen sind‹.

Nehmt euch die Zeit, die nächsten Seiten gründlich durchzulesen, denn sie werden euch das Rüstzeug an die Hand geben, eine empfindliche Ware wie Fisch so gut wie möglich auszusuchen, zu behandeln, zu verarbeiten. Eine Angel könnt ihr euch später ja immer noch kaufen.«

»THERE MIGHT BE FIFTY WAYS TO LEAVE YOUR LOVER – BUT A THOUSAND WAYS TO FUCK UP YOUR FISH.«

FISCH KAUFEN

Von all unseren Lebensmitteln ist Fisch das wohl empfindlichste. Anders als etwa Rindfleisch, welches sich durch die Reifung beim Abhängen verbessern und mehr Aromen ausprägen kann, auch anders als Obst und Gemüse, welche im Normalfall locker ein paar Tage Lagerung aushalten oder sogar davon profitieren, ist Fisch stets dann am besten, wenn er frisch ist. Ganz frisch. Sobald er aus dem Wasser kommt, verliert er nur noch an Qualität. Punkt.

Selbstverständlich gibt es althergebrachte oder auch sehr moderne Möglichkeiten, Fisch zu konservieren, sei es durch Einsalzen, Einlegen, Trocknen oder Einfrieren. Allerdings muss man ganz klar sagen, dass dadurch weder der unvergleichlich feine Geschmack von frischem Fisch, noch seine Textur bewahrt werden. Und genau hier liegt der Vorteil von richtig frischem Fisch.

Fisch sollte grundsätzlich dort gekauft werden, wo »viel Fisch geht«. Ein Fischhändler mit großem Umsatz wird von seinem Großhändler wesentlich öfter beliefert – mitunter sogar täglich – als ein kleiner Laden, bei dem der Verkauf von Fisch nur eine Nebenrolle spielt. An der Küste gibt es zwar die Möglichkeit, am Hafen Fisch direkt vom Kutter zu kaufen. Was aber nicht automatisch bedeutet, dass die dort zu kaufende Ware auch tatsächlich frisch ist. Von dem Moment an, da der Fisch erst mal gefangen ist, setzt ein Oxidationsprozess ein. Und nicht jedes Schiff, das nachts raus fährt, kehrt am nächsten Morgen mit dem Fang des Tages zurück. Diese Kutter sind oft tagelang unterwegs, sodass auch Fische, die bereits zu Beginn gefangen wurden, sich in den Körben befinden. Sollte der Fang aber von der letzten Nacht sein, kommt es immer noch auf die Art und Weise an, wie ein Fisch eingeholt wurde. Zappelte er bereits nach kurzer Zeit im Netz und verendete dort, vergehen oftmals vielen Stunden, bis das Nezt eingeholt wird. Zudem erreicht die Wassertemperatur in warmen Fanggebieten nicht selten 30° und mehr. Dass da die kulinarischen Qualitäten verschwinden, ist nur logisch.

Es mag ja sein, dass ein Fisch theoretisch bis zu acht Tage nach dem Fang gegessen werden kann, doch willst du das wirklich? Ich gehe gleich näher darauf ein, woran du erkennst, ob ein Fisch älter oder schön frisch ist. Zuvor aber noch ein paar Punkte, die den Fischkauf an sich betreffen.

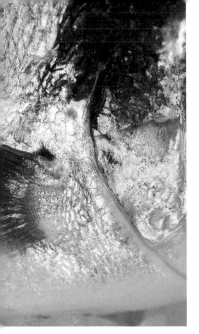

WELCHEN FISCH SOLL ICH NEHMEN?

Das hängt ganz davon ab, ob du ihn braten, kochen oder dämpfen willst, ob er in die Suppe oder auf den Grill soll. Super geeignet zum Braten sind Fische mit festem Fleisch, wie etwa Barsche, zum Dämpfen nehme ich gerne Heilbutt und zum Kochen Kabeljau oder auch Lachs.

WIE GROSS DARF DER FISCH SEIN?

Das ist gar nicht so einfach zu beantworten. Klar, aus kleinen Fischen wie Heringen oder Sardinen lassen sich keine Steaks und nur sehr kleine Filets schneiden. Große Fische hingegen, beispielsweise Lachs oder Thunfisch, tendieren dazu, beim Garen zu trocken zu werden, oder das Fleisch ist zu fett, weil die Fische in Becken aufgezogen wurden und zu wenig Bewegung hatten. Jeder Fisch hat ein Minimal- und ein Maximalgewicht. Am besten sprichst du darüber mit deinem Fischhändler beim Einkauf. Du sagst ihm, worauf du Lust hast, und er wird dich wirklich gut beraten.

KOSTET FISCH STETS VIEL GELD?

Nein, nicht unbedingt. Das hängt immer davon ab, um welchen Fisch es sich handelt, wie groß er ist, ob er gerade Saison hat oder wo er verkauft wird. Auch aus »einfachen«, günstigen Arten wie Forellen, Sardinen, Tilapien oder Meeräschen (ja, den Buris!) kannst du echte Delikatessen zaubern. Natürlich besorgt man sich gern etwas vermeintlich Besseres, wenn man Gäste beeindrucken möchte, doch sind Fische wie Zander, Zackenbarsch oder Wolfsbarsch im Einkauf wesentlich teurer – vor allem zu den Feiertagen – und nicht automatisch besser. Viel wichtiger ist die Frische, auf die kommt es an! Egal wo du den Fisch kaufst, hole den frischesten, nicht den teuersten. Das sollte das wichtigste, vielleicht sogar das einzige Kriterium sein.

Genaues Hingucken lohnt sich in jedem Fall beim Fischkauf.

Ich schau dir in die Augen, Kleiner!

FRISCHEN FISCH ERKENNEN

Ich gehe eigentlich stets nach neun Kriterien vor, die mich die Frische von Fisch erkennen lassen. Da es natürlich auch immer ein paar Ausnahmen gibt, sehe ich Fisch dann als frisch an, wenn mindestens vier dieser neun Kriterien erfüllt sind. Grundsätzlich soll dich ein Fisch in der Auslage anmachen, ihn mitzunehmen. Richtig alte Ware erkennst du auch als Laie.

DIE FARBE
Die Farbe eines Fisches sollte eindeutig sein und klar zu definieren. Ist sie verwaschen, ist der Fisch schon älter. Wenn sie aussieht, als wäre der Fisch bereits gekocht – unbedingt liegen lassen!
Ausnahmen: Einige Fische verändern ihre Farbe nicht, darunter beispielsweise solche aus der Familie der Haie und Rochen.

DER GERUCH
Frischer Fisch sollte niemals stinken. Lass dir nicht aufschwatzen, das sei »der Geruch des Meeres«. Frischer Fisch ist vielmehr geruchlos, und sollte er doch ein wenig riechen, dann auf eine leichte, delikat salzige Art.
Ausnahmen: Es gibt Fische wie den Seeteufel, bei denen der Verdauungsprozess bereits im Mundraum beginnt, was zu einem schlechten Atem führt. In diesem Fall bedeutet es natürlich nicht, dass der Fisch nicht frisch wäre.

DIE HAUTOBERFLÄCHE

Die Haut der meisten Fische sondert einen Flüssigkeitsbelag ab, den man gerne als Körperschleim bezeichnet. Es ist ein natürlicher Schutz gegen das Meerwasser und somit eine gute Sache. Leider wird der Schleim aber schnell klebrig und verschwindet nach einem Tag. Um ihn ein wenig zu erhalten, besprühen Fischer ihre Ware gern mit Wasser oder platzieren sie auf Eis. Überzieht den Fisch dagegen ein gräulicher, rutschiger Belag, ist er alt. Dieser Belag bildet sich beim Zersetzungsprozess und hat nichts mit dem klaren, natürlichen Sekret zu tun, das ich anfangs beschrieben habe.
Ausnahmen: Auch hier sind es wieder Fische aus der Hai-Familie, die keinen Körperschleim produzieren. Zieht man sie aus dem Wasser, ist ihre Haut trocken.

DAS GEFÜHL BEIM ANFASSEN

Frischer Fisch fühlt sich fest, eher starr an. Wenn du das Fleisch mit den Fingern drückst und die entstandene Delle glättet sich nicht gleich wieder, ist das Fleisch weich und der Fisch schon älter. Das Gleiche gilt, wenn beim Drücken Ödeme zurückbleiben, also Verfärbungen. Dann ist der Fisch sogar ungenießbar. Auch ein wichtiger Aspekt ist die Spannung im ganzen Fisch. Wenn sich nach der vorübergehenden Erstarrung die Muskulatur wieder gelöst hat, darf sich der Fisch, wenn man ihn am hinteren Ende hält, nicht durchbiegen und nach unten hängen.
Ausnahmen: Das Fleisch mancher Fische ist von Anfang an weich – etwa das des Seehechts.

DIE KIEMEN

Das Farbspektrum der Kiemen frischer Fische reicht von Pink bis zu einem dunklen Rot. Öffnet man die Kiemenklappen, sollten sie sich aufspreizen wie bei einem Fächer. Passiert dies nicht, oder sind die Kiemen zu hell oder zu dunkel, ja fast braun oder schwarz, ist der Fisch nicht mehr frisch. Da mag der Händler noch so überzeugend argumentieren können. Finger weg!
Ausnahmen: Einige Fische (z. B. Drückerfische) haben verborgene Kiemen, da kann man nicht nachsehen.

DIE FLOSSEN

Vor allem die Endflossen müssen feucht und unbeschädigt sein. Sind sie angetrocknet oder gar eingerissen, würde ich auf jeden Fall die Finger von diesem Fisch lassen.

DAS MAUL

Ja, auch dem Fisch ruhig mal aufs Maul schauen! Es sollte sich ganz leicht öffnen lassen und nicht schleimig-verklebt sein. Ist es das, wurde garantiert die Kühlkette unterbrochen, was man zudem an einem dunkel verfärbten Maul erkennt.

DIE AUGEN

Die Augen sind das empfindlichste Organ eines Fisches. Sie sollten nach oben gewölbt, straff und sehr klar sein, die Pupillen scharf umrandet und schön definiert. Eine Trübung oder das Fehlen der Wölbung indizieren mangelnde Frische.
Ausnahmen: Manche Fische haben von Natur aus eingesunkene Augen oder eine zusätzliche Hautschicht darüber, so etwa Schleimaale oder Zitterrochen. Sie sind für uns kulinarisch aber nicht sehr interessant.

DIE BAUCHHÖHLE

Manchmal, wenn vielleicht auch selten, kauft man einen ganzen Fisch, der noch nicht ausgenommen wurde. Das sollte man aber nur machen, wenn der Fisch auch wirklich hundertprozentig frisch ist. Denn nur dann sind die Innereien gut erkennbar klar voneinander abgegrenzt, sodass man sie perfekt aus der Bauchhöhle holen kann. Ist der Fisch alt, hat der Zersetzungsprozess bereits begonnen und die Innereien werden sich immer ähnlicher, lassen sich kaum noch unterscheiden – das ist nicht gut. Dann vermischen sich unterschiedliche Enzyme, dringen über die Bauchhöhle in das Fischfleisch ein und sorgen für fischigen Geruch und Geschmack.
Kauft man einen bereits ausgenommenen Fisch, sollte die Bauchhöhle hell und klar sein. Hier wäre es ein Indikator mangelnder Frische, wenn sie dunkel, matt und trocken ist.

Kleiner Exkurs zu Fischfilets, denn hier lassen sich ebenfalls ein paar Checks durchführen. Zunächst gilt es zu prüfen, ob die Oberfläche der Filets glänzend ist und von der Farbe her zwischen leicht rötlich, weiß bis silbern variiert, je nach Fischart. Geht sie ins Gelbliche über, ist Vorsicht geboten. Und dann sind da noch die Gräten. Ein frischer Fisch, der Spannung besitzt, lässt sie sich nicht so einfach aus dem Fleisch ziehen, man braucht dafür schon eine Grätenzange und etwas Geduld. Lassen sich Gräten leicht oder gar mit den bloßen Fingernägeln entfernen, kennt ihr inzwischen wohl schon meine Meinung dazu …

Dazu passt noch ganz gut eine kleine Geschichte, die ich euch nicht vorenthalten möchte. Ich ging eines Tages über den Markt. An einem Stand sah ich eine Kiste mit herrlich frischem Fisch, der mit 90 Schekel pro Kilo ausgezeichnet war. Gleich daneben stand eine weitere Kiste mit dem gleichen Fisch, locker schon drei, vier Tage alt. Hierfür wollte der Händler 120 Schekel für das Kilo. Ich war mir sicher, dass aus Versehen die beiden Schilder vertauscht wurden und wies den Verkäufer darauf hin. Seine Antwort: Weißt du nicht, dass manche Leute nach dem Preis kaufen, nicht nach der Qualität?

»JEDER MÖCHTE JEMAND SEIN.
ZU HAUSE BIN ICH JEMAND!
WENN MEINE FRAU SAGT,
JEMAND MÜSSTE DEN MÜLL
RUNTERBRINGEN,
DANN BIN DAS ICH …!«

GANZE FISCHE VERARBEITEN

Trau dich ruhig ran an ganze Fische.

Indem man ein paar einfache Dinge beachtet, kann das ohnehin kurze Frischefenster von Fisch etwas weiter geöffnet werden.

AUF DIE TEMPERATUR ACHTEN
• Egal, ob man einen frisch geangelten Fisch transportieren möchte oder einen gerade gekauften – je strikter man den Fisch auf niedriger Temperatur hält (nahe am Gefrierpunkt), desto länger hat man Freude an seinem Geschmack. Ich empfehle daher, eine mit Eis gefüllte Kühltasche zum Einkauf oder zum Angeln mitzunehmen, denn schon eine kurze Zeit im aufgeheizten Auto auf dem Weg nach Hause nimmt definitiv Frische weg, insbesondere wenn man noch Zwischenstopps einlegen möchte.
• Der Fisch muss sofort in den Kühlschrank, sobald du zu Hause angelangt bist. Sollte er zuvor nicht bei optimaler Temperatur befördert worden sein, lege ihn kurz in Eiswasser, damit er wieder abkühlt.
• Ebenfalls ganz wichtig: Fisch darf immer nur mit kaltem Wasser gewaschen werden.

DEN FISCH AUSNEHMEN
• Die Verdauungssäfte der Fische haben eine recht ätzende Wirkung und sie arbeiten weiter, auch wenn der Fisch längst tot ist. Dabei greifen sie zunächst die Magenhöhle, dann das Fischfleisch an. Manchmal tauchen daher in der Bauchhöhle des Fisches gelblich-braune Flecken auf und es ergibt sich ein

leichter Beigeschmack. Schlimmer noch ist es, wenn der Fisch durch die Säfte schon so weit beeinträchtigt wurde, dass er unverzehrbar ist.

• Eine optimale Kühlkette verlangsamt den Prozess zwar, hält ihn aber nicht auf. Daher ist es eine gute Idee, den Magen und die inneren Organe so rasch wie möglich aus dem Bauch zu entfernen. Einige Fische, wie Forellen oder Störe, haben einen sehr delikaten Rogen und auch die Leber schmeckt sehr fein, daher sollte man sie aufheben und verwerten.

KIEMEN UND BLUT ENTFERNEN

Blut wirkt oxidativ, was bedeutet, dass sich dadurch Geruch und Geschmack negativ verändern können. In den Kiemen und in der Hauptschlagader, die unter dem Rückgrat liegt, findet sich viel davon – also werdet es so rasch wie möglich los.

DEN FISCH WASCHEN

Alle Fische sollten gründlich unter fließend kaltem Wasser gewaschen werden und dann zusätzlich in ein Eiswasserbad kommen. Für das Bad eine große Schüssel mit möglichst kaltem Wasser vorbereiten und dann mit reichlich Eiswürfeln ergänzen.

DEN FISCH IN DEN KÜHLSCHRANK LEGEN

• Fisch kommt nie in einem offenen Gefäß in den Kühlschrank. Sein Geruch könnte andere Produkte leicht überlagern.

• Der Fisch ruht am besten in einem geschlossenen Behältnis mit perforiertem doppelten Boden, durch den die Feuchtigkeit und die ablaufende Flüssigkeit nach unten absickern kann.

• Wenn du auf Nummer sicher gehen willst, dass der Fisch wirklich schön frisch bleibt, bedecke ihn mit Eiswürfeln oder crushed Eis. Du kannst ihn aber auch in ein feuchtes, sehr kaltes Tuch einwickeln.

WICHTIGE VORBEREITUNGEN

• Ungefähr eine Stunde vor der Zubereitung wird der Fisch aus dem Kühlschrank geholt und auf die Arbeitsplatte gelegt. Dort kann er ganz in Ruhe Zimmertemperatur annehmen.

• Dann ist es äußerst wichtig sicherzustellen, dass das Waschbecken sowie alle Geräte, mit denen du arbeiten wirst, sauber und seifenfrei sind. Andernfalls nimmt der Fisch genau diese Einflüsse auf, was ihn ungenießbar machen kann. Auch dem Arbeitsbrett, auf dem du den Fisch später behandelst, darf nichts mehr anhaften, etwa Knoblauch, Chili oder andere dominante Kräuter, Gewürze und Gemüse. Und vor allem sollte zuvor keine Zitrone auf dem Brett geschnitten worden sein, sonst hast du ganz schlechte Karten: Der Fisch wird dann immer sauer, egal wie pingelig du vorher warst.

• Um bei einem »schlüpfrigen« Fisch wie einem Aal oder einer Regenbogenforelle die Haut problemlos abziehen zu können, reibe deine Hände oder den Fisch mit etwas grobem Salz ein. Das gibt gleich einen viel besseren Grip.

MEIN SPEZIELLER RAT

Lass den Fisch am besten vom Händler ausnehmen und säubern! Er hat in aller Regel wesentlich mehr Erfahrung darin als du, zudem besitzt er bestimmt das weitaus bessere Werkzeug und außerdem ist es Teil seines Serviceangebots. Sich beispielsweise an einer Flosse zu stechen, tut höllisch weh, manchmal kann es auch zu einer Infektion kommen. Meine Leute, die im Restaurant fürs Säubern der Fische zuständig sind, verwenden dafür immer extra Fischhandschuhe aus Metall. So, wie sie von den Rittern im Mittelalter getragen wurden.

FRISCHES SEAFOOD

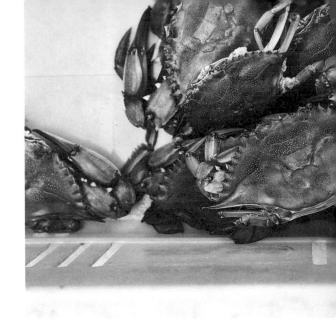

Es gibt Länder oder Gegenden, in denen es leicht ist, Seafood aus regionalem Fang zu kaufen, weil sie nahe an den entsprechenden Gewässern liegen. Bei uns in Israel ist dies der Fall bei Calamares, Garnelen und Oktopus. Bei euch zu Hause ist es womöglich etwas schwieriger, wenn nicht gar unmöglich. Dann ist man darauf angewiesen, sich diese Produkte im Handel zu besorgen. Und hierfür möchte ich euch ein paar Tipps an die Hand geben, mit denen ihr sicherstellen könnt, auch wirklich frische Ware zu erstehen. Neben dem gerade genannten Seafood gelten diese Tipps auch für Austern und Muscheln aller Art.

Seafood hat weder Kiemen noch Augen (und falls doch, sind diese sehr, sehr klein), also muss man bei der Beurteilung ein wenig anders vorgehen als bei Fisch. Manche Meerestiere, beispielsweise Krabben oder Hummer, werden lebendig verkauft, da ist die Sache relativ einfach. Bei allen anderen Waren sollte auf jeden Fall klar ersichtlich bzw. angegeben sein, wann das Seafood aus dem Wasser geholt wurden – und bis wann es zu verzehren ist. Ansonsten helfen euch noch folgende Details, Seafood richtig zu beurteilen.

DIE FARBE
Sie sollte immer eindeutig und klar definiert sein, beispielsweise die der Garnelenschwänze.

DER GERUCH
Seafood riecht nicht, wenn es frisch ist! Es mag zwar eine gewisse Salzigkeit von ihm ausgehen, aber nie ein wirklicher Geruch.

DER TOUCH
Wenn ihr Seafood wie Garnelen oder Calamares in der Hand haltet, achtet darauf, was ihr da spürt. Die Tiere dürfen sich nicht labbrig anfühlen, sondern sollten noch eine Festigkeit vermitteln.

DER BLICK AUFS GANZE
Schaut euch in der Auslage das komplette Bild an. Könnt ihr jedes einzelne Tier erkennen, ist das ein Zeichen von Frische, ist es eine undefinierbare Masse, solltet ihr die Finger davon lassen.

Manchmal kommt man nicht umhin, Seafood tiefgekühlt zu kaufen. Anders als bei Fisch ist das – was den Geschmack betrifft – aber nicht wirklich problematisch. Mehr dazu auf der nächsten Seite.

Krabben sind noch viel besser, wenn man damit richtig umzugehen weiß.

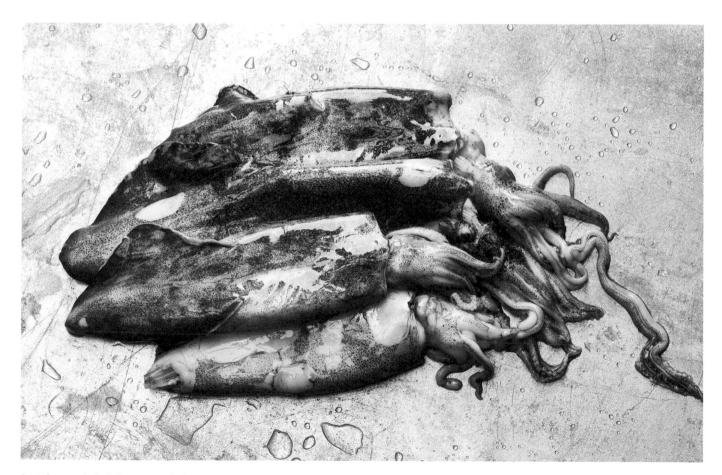

Sepia kannst du befüllen, Tintenfischringe davon ausbacken oder auch abkochen und einen Salat damit machen.

TK-SEAFOOD

Seafood zu kaufen, das tiefgekühlt wurde, ist überhaupt kein Thema, da der Geschmack unter diesem Konservierungsprozess nicht gelitten hat. Grund dafür ist, dass Garnelen, Jakobsmuscheln, Sepia, Calamares und sogar Hummer spezielle Fette aufweisen, die das Fleisch den Gefriervorgang wesentlich besser überstehen lassen als Fisch. Mitunter ist es sogar besser, gefrorenes Seafood zu nehmen, weil dann eine optimale Fortführung der Kühlkette mit großer Wahrscheinlichkeit gewährleistet ist. Trotzdem sollte aber auf der Packung das Fang- und das Ablaufdatum für jeden klar vermerkt sein.

Es gibt drei kommerzielle Methoden, Seafood tiefzukühlen. Die Tiere können blockweise, stückweise oder vakuumiert gefrostet werden. Egal, welche Methode angewandt wurde, in jedem Fall sollte auf der Packung stehen, was sich genau darin befindet, wer es abgepackt hat (also der Produzent), wer es importiert hat, wann die Ware gefangen wurde, wann sie eingefroren wurde und wann sie abläuft. Bei letzterem Punkt sind zehn Monate nach Fang die Regel. Im Zweifel immer auch hier möglichst die frischeste Ware kaufen. Lieber in der Truhe einige der Packungen vergleichen, anstatt einfach blind zuzugreifen. Sechs Monate Gefrierzeit sollten das absolute Maximum darstellen. Die Qualität der Zutaten könnt ihr auch in gefrorenem Zustand prüfen. Das geht so:

BLOCKWARE

Während des Gefriervorgangs ist das Seafood von Wasser umgeben, welches dafür sorgt, dass die Tiere innerhalb eines Eisblocks eingeschlossen werden. Steht nun ein Teil eines Tieres aus dem Block heraus oder ist so arrangiert, dass es nicht mehr mit Eis bedeckt ist, deutet das darauf hin, dass der Block irgendwann teilweise angetaut war. Ein Kauf ist dann alles andere als ratsam.

EINZELFROSTING

Diesen Prozess nennt man auch IQF für »Individual Quality Freezing«. Jedes Tier wird tatsächlich einzeln tiefgefroren (beispielsweise Garnelen) und danach in die entsprechenden Einheiten abgepackt, meist in durchsichtige Beutel. Solange nun die Kühlkette eingehalten wird, ändert sich daran auch nichts, jedes Teil bleibt für sich. Steigt die Temperatur jedoch, beginnt das Eis zu schmelzen und die Tiere kleben aneinander. Schlägt man in solch einem Fall auf den Beutel, lösen sich die Eismäntel, die sich während des IQF um das Seafood herum gebildet haben, was die Transparenz im Beutel beeinträchtigt. So etwas würde ich nicht kaufen und verarbeiten wollen.

VAKUUMFRIEREN

Bei diesem Vorgang wird die Ware zunächst vakuumiert, bevor man sie einfriert. Das schützt nicht nur den Geschmack, sondern zudem das Aussehen des Seafoods: Alle Oxidationsprozesse werden gestoppt, die sonst Nährstoffe und Aromen angreifen würden, hochwertige verstärkte Vakuumbeutel stabilisieren die Form der Tiere. Diese speziellen Beutel sind dazu extrareißfest und durch die verschweißte Doppelnaht sicher verschlossen. So kann selbst bei Temperaturschwankungen keine Flüssigkeitsverdampfung entstehen und ein Gefrierbrand ist so gut wie ausgeschlossen. Möchtet ihr vakuumiertes Seafood kaufen, stellt unbedingt sicher, dass das Vakuumsiegel unbeschädigt, also keine Luft zu sehen ist. Der Beutel mit der Ware muss in jedem Fall richtig schön straff sein, ansonsten konsequent nicht kaufen.

Hier springt einen die Frische
schon richtiggehend an!

SELBST EINFRIEREN

Ich persönlich bin kein Freund davon, Seafood (oder doch vielleicht auch mal Fisch) zu Hause einzufrieren, aber wenn ihr es tatsächlich machen wollt, beachtet einige grundlegende Regeln:

1. Nur wirklich frische Ware einfrieren.
2. Alles unter fließendem kaltem Wasser waschen.
3. Dann die Ware in Eiswasser tauchen bzw. mehrfach durch das Wasser ziehen. Abtrocknen und sofort in Klarsichtfolie wickeln oder, noch besser, in Vakuumierbeutel geben.
4. Friert kleine Einheiten ein! Diese lassen sich später besser für individuelle Bedürfnisse und Portionen handhaben.
5. Wurde eine Ware einmal aufgetaut, diese keinesfalls wieder in den Tiefkühler geben!
6. Die gefrorene Ware baldmöglichst nutzen, sie wird mit zunehmender Gefrierdauer nicht besser, auch wenn viele Menschen glauben, sie sei so nahezu ewig haltbar.

RICHTIG AUFTAUEN

Auch das ist bei der Verwendung von tiefgekühltem Seafood ein ganz wichtiger Punkt. Mein Rat ist es, die Ware bereits am Tag vor der Zubereitung aus dem Tiefkühler zu nehmen und in den Kühlschrank zu legen. Dort kann sie langsam, wirklich langsam auftauen. Dann – etwa zwei Stunden vor der Weiterverarbeitung – das Seafood aus dem Kühlschrank holen und bei Zimmertemperatur ganz auftauen lassen. Muss es wirklich mal schnell gehen, nehmt Garnelen & Co. aus dem Gefrierschrank und legt alles in kaltes Wasser. Nach 2–3 Stunden sollte die Ware küchenfertig sein. ABER: Bitte legt niemals das Gefrorene in warmes oder gar heißes Wasser, damit es im Schnellverfahren auftaut. Das lockt im Handumdrehen Bakterien an und das Seafood beginnt »anzugaren«. Hier reden wir dann von einer möglichen Gesundheitsgefährdung.

Manchmal ist es für einen Händler attraktiv, eine größere Menge an Garnelen, Calamares oder Sepia zu kaufen, vor allem, wenn es aufgrund einer hohen Fangmenge und eines niedrigen Preises äußerst lohnend erscheint. Dann friert er die Ware selbst ein und verkauft sie später – tiefgekühlt oder wieder aufgetaut. Hier ist Aufmerksamkeit geboten, denn so etwas wird weder überprüft noch dokumentiert. Ich rate dringend vom Kauf ab, insbesondere wenn ihr den Händler nicht kennt. In vertrauenswürdigen Fällen lässt sich darüber verhandeln.

GRÖSSEN UND MASSEINHEITEN BEI SEAFOOD

Auf den Packungen ist immer die Art des Seafoods verzeichnet. Garnelenarten beispielsweise werden als Garnelen, Prawns, Black Tiger oder Pink Tiger angegeben (gesetzlich geregelt ist das nicht). Auch die Größen sind ein wichtiger Faktor. Bei Garnelen ist immer die Zahl der einzelnen Teile pro Pfund genannt, wobei international gesehen ein Pfund nicht 500 Gramm sind, sondern nur 454 Gramm, da man sich an der US-Pfundeinheit orientiert.

GARNELEN
8–12 ist ganz schön groß
12–18 ist immer noch stattlich
24–30 läuft als medium
31–40 ist eher klein

NORDSEEKRABBEN UND BABY-GARNELEN
laufen im Nettogewicht

BABY-CALAMARES
20–40 gilt als angemessen groß
60–80 ist winzig, aber schön zu verwerten

JAKOBSMUSCHELN
20–30 ist Mittelmaß
30–40 recht klein

Allgemein gilt: Je kleiner die Zahl auf der Packung, desto größer sind die einzelnen Seafood-Teile.

Lasst uns aber nun über die Größen und deren Qualitäten sprechen – denn Größe an sich ist ja kein Kriterium.

GARNELEN
Manche Leute glauben, dass große Garnelen viel besser schmecken würden als kleine. In der Praxis liegt das ideale Gewicht einer Garnele irgendwo zwischen 15 und 50 Gramm. Diese Garnelen lassen sich leicht schälen, ihre Textur ist perfekt, sie haben eine kurze Garzeit und sind recht günstig im Preis. Richtig große Garnelen hingegen, die 80 Gramm oder auch mehr auf die Waage bringen, besitzen eine etwas zähere Festigkeit. Weil sie dicker sind, müssen sie länger gegart werden, was sich im Zweifelsfall negativ auf den Geschmack auswirken kann. Und preislich gesehen sind sie doppelt so teuer, wenn das reicht. Ganz kleine Garnelen lassen sich schlecht schälen, und so manch einer wird verrentet, bevor er ein Kilo gepult hat. Das ist es nicht wert – es sind schließlich nur Garnelen. Also in solchen Fällen ruhig auch geschält kaufen.

TINTENFISCH
Der Körper des Tintenfisches (Sepia) ist eher flach und hat innen den Rest eines kalkigen Skeletts, das nahezu durchsichtig ist. Ein Überbleibsel der Evolution sozusagen. Wenn der Tintenfisch ganz frisch ist, umschließt ihn eine dünne, klare Hautschicht,

die ihre Klarheit allerdings nach rund zwei Tagen verliert, dann wird sie eher milchig und klebrig. Auch lässt nach dieser Zeit die Spannung des Tintenfischkörpers nach, er wird schlaff. Je kleiner der Tintenfisch ist, desto besser. Baby-Tintenfisch wird nur sehr kurz gegart und dann gewürzt, da er über wenig Eigengeschmack verfügt, Fremdgewürze jedoch sehr gut annimmt. Aus großen Exemplaren bereite ich bei mir in der Küche keine Gerichte zu, man kann aber aus diesen Tieren den Tintensack herausnehmen und mit der Tinte etwa Nudelteig schwarz einfärben. Bereitest du Baby-Tintenfisch auf der Plancha oder in der Pfanne zu, brauchst du die Haut nicht extra abzuziehen. Hier wird sie nämlich schön knusprig und wirkt wie ein Gewürz.

CALAMARES

Je kleiner die Calamares sind, die man in der Pfanne oder auf einer Plancha zubereiten mag, desto zarter sind sie. Kauft sie daher fürs Kurzbraten oder Grillen so klein wie möglich. Für frittierte Calamares-Ringe indes eine mittlere Größen nehmen, damit sie schön saftig werden. Große Exemplare für Brühe oder nach dem Kleinschneiden für Suppe verwenden.

OKTOPUS

Der Oktopus ist rund wie ein Ball und er hat acht Tentakeln. Es gibt kein Skelett, aber eine Haut wie beim Tintenfisch, die sich auch genauso verhält. Hier sind ebenfalls die kleinen Exemplare besser, weil sie zarter und geschmackvoller sind.

Garnelen gibt es in vielerlei Größen und Variationen, auch farblich. Du solltest mal ausprobieren, wie unterschiedlich sie schmecken.

JAKOBSMUSCHELN

Hier ist es einmal anders herum – je größer die Muscheln sind, desto besser schmecken sie!

MUSCHELN

Auf dem Markt gibt es eine ganze Reihe von Muscheln mit vorwiegend dunkler Schale. Die kleinen französischen Bouchon-Muscheln haben im Verhältnis zur Schale unglaublich wenig Fleisch, welches aber wiederum äußerst lecker schmeckt. Holländische Miesmuscheln sind, wie ihre Kollegen aus Norwegen oder Irland, recht groß, aber nicht selten sind die Schalen leer. Lasst diese beim Kauf einfach weg, außer ihr wollt daraus Castagnetten machen. Neuseeland-Muscheln haben eine grüne Schalen und sind schwer zu bekommen, vor allem frisch. Am besten sind sie in medium, auch wenn das im Vergleich zu den europäischen Muscheln als groß bezeichnet werden kann.

HUMMER

Hummer sollten mindestens 500 Gramm wiegen. In Restaurants werden üblicherweise Exemplare von 600 bis 700 Gramm serviert. Je schwerer sie sind, desto teurer macht sie das aber auch.

KRABBEN

Kauft man Krabben, ist es am besten, nach den fleischigeren Weibchen Ausschau zu halten, die an einer großen dreieckigen »Schürze« auf dem Bauch zu erkennen sind. Die Männchen haben zwar auch eine Schürze, diese ist aber deutlich schmaler. Die Frische einer Krabbe lässt sich an der Farbe einschätzen; blasse Exemplare sind schon etwas älter. Größere Krabben lassen sich leichter auseinandernehmen als kleinere, doch ihr Fleisch ist dafür ein wenig trockener.

SEEIGEL

Während der Fortpflanzungszeit tragen Seeigel mehr Eier in sich, was sie noch schmackhafter werden lässt. Da sich die Tiere jedoch übers ganze Jahr verteilt paaren, erkennt man erst nach dem Aufbrechen der Schale, ob man den richtigen Zeitpunkt erwischt hat. Kauft nur lebendige Seeigel!

GRUNDLAGEN
DER ZUBEREITUNG

Wenn es am Ende so aussieht, hast
du zuvor alles richtig gemacht.

WICHTIGE KERNPUNKTE

Es gibt ein paar Dinge, die bei allen Zubereitungsarten gleichermaßen zu berücksichtigen sind, sei es
für Fisch oder für Seafood:

• Halte die Zubereitungszeit immer so kurz wie
möglich und nötig.
• Salze den Fisch oder das Seafood immer erst
gegen Ende der Garzeit, denn Salz lässt das zarte
Fleisch trocken werden.
• Halte dich mit der Würze etwas zurück, sonst läufst
du Gefahr, den Eigengeschmack des Fisches oder
der Meeresfrüchte zu übertünchen.
• Ich bin kein Fan von irgendwelchen Marinaden.
Der wahre Geschmack soll doch vom Fisch kommen,
oder etwa nicht?
• Verwende keine Gabel, um Fisch & Co. vom Grill
oder aus der Pfanne zu holen. Und auch nicht, um
den Garpunkt zu prüfen. Die Zinken der Gabel
können ganz leicht das Fleisch zerstechen, sodass
wertvoller aromatischer Saft ausläuft. Zudem ist
eine Gabel für so eine Arbeit nicht wirklich praktisch,
denn bevor du dich versiehst, landet der Fisch auf
dem Boden. Ein oder gar zwei Spatel sind die
wesentlich bessere Lösung.

PASSENDE GARMETHODEN
UND -TEMPERATUREN

Schmoren: 40°–100°
Dämpfen: bis 100°
Braten: 120°–200°
Backen: 140°–200°
Frittieren: 150°–200°
Grillen: 200°–300°

Ganz grundsätzlich kann man sagen, dass sich die
Temperaturen, mit denen wir Lebensmittel zubereiten, in den vergangenen 10 bis 20 Jahren deutlich
verändert haben. Früher wollte man alles sehr heiß
und schnell garen, heute geht man das Dämpfen,
Braten, Backen, ja selbst das Grillen mit wesentlich
geringeren Hitzen an. Natürlich auch beim Fisch. So
hat man mehr Möglichkeiten, ihn saftiger zu halten
und den Eigengeschmack besser herauszubringen.

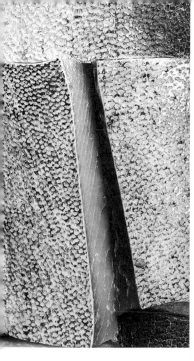

»JEMANDEM REZEPTE ZU GEBEN,
DER KEINEN SPASS AM KOCHEN HAT,
IST WIE EINEM ZAHNLOSEN NÜSSE
ZU SCHENKEN.«

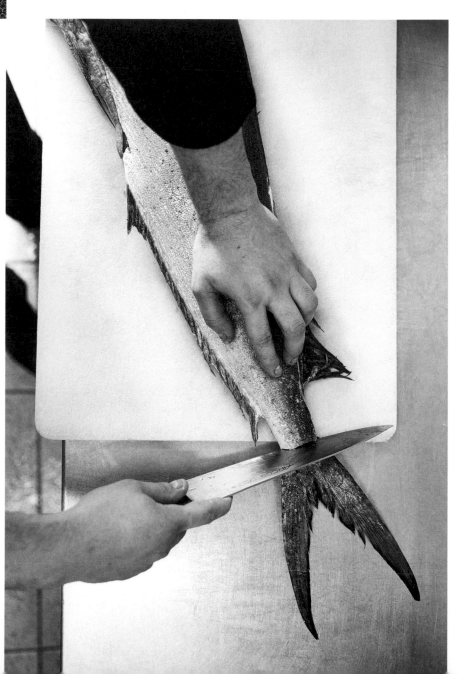

GRILLEN

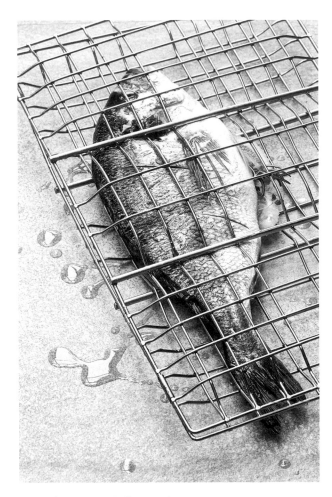

Ein Fischgitter zum Grillen ist echt praktisch: Es fällt nichts heraus …

Grillen ist wohl die einfachste Methode, Fisch zuzubereiten. Einfach, aber nicht simpel. Wer war der erste Mensch, der gegrillt hat? Vermutlich ein prähistorischer Urahn von uns, der eines Tages herausfand, dass er das erlegte Tier mithilfe des Feuers in seiner Höhle zubereiten konnte. An dieser Methode hat sich in Jahrmillionen der Evolution praktisch so gut wie nichts geändert – auch wenn das ambitionierte Grillmeister vielleicht nicht gerne hören. Es mag ein paar mehr Werkzeuge dafür geben, doch das Prinzip bleibt bestehen.
Der größte Vorteil des Grills ist seine logistische Einfachheit. Fleisch oder Fisch, ein paar Steine, etwas Holz, womöglich ein Spieß. Sogar der Grillkorb darf als revolutionär betrachtet werden.

GRUNDREGELN

1. Lege den Fisch nicht direkt aus dem Kühlschrank auf den Grill, das verlängert die Garzeit und lässt ihn austrocknen. Hole ihn eine Stunde zuvor heraus und lasse ihn Raumtemperatur annehmen – selbstverständlich nicht bei 30° im Sommer!

2. Fisch sollte nicht mariniert werden. Der Sinn des Marinierens liegt darin, beispielsweise Rindfleisch zarter werden zu lassen und ihm Geschmack zu verleihen. Fisch hingegen muss nicht zarter gemacht werden. Auch nimmt er Aromen schnell an und braucht keine lange Einwirkzeit dafür.

3. Gewürze generell und Salz im Besonderen absorbieren die Flüssigkeit des Fisches und lassen ihn auf diese Weise trocken werden. Deswegen ist es ratsam, ihn erst gegen Ende der Garzeit zu würzen.

4. Hölzerne Grillspieße sollten vor der Verwendung mindestens eine Stunde in gewürztes Wasser gelegt werden. Das verhindert ein schnelles Verbrennen und bringt ein wenig Geschmack. Übrigens sind feste Rosmarinzweige eine tolle Alternative.

5. Wenn du Fischfilets grillen willst, starte immer mit der Hautseite nach unten. Dann, ganz kurz bevor der Fisch gar ist, drehst du die Filets auf die Fleischseite und lässt sie so noch für einen kurzen Moment liegen, bis sie zwar gar, aber immer noch aromatisch-saftig sind.

6. Je dicker der Fisch ist, desto länger ist natürlich auch seine Garzeit. Liegt der Fisch aber zu lange auf dem Grill, verbrennt bei der sehr hohen Temperatur (200°–300°!) die Haut, das Fleisch ist innen allerdings noch roh. Aus diesem Grund sollte man es beim Grillen mit der Dicke des Fisches keinesfalls übertreiben: Alles, was über fünf Zentimeter geht, filetiert man besser.

7. Größere und auch dickere Fische lassen sich wunderbar in Stücke (z. B. Steaks) schneiden, die man dann rare oder medium-rare grillen kann. Hierfür eignen sich aber nur wenige Fischarten, wie etwa Lachs, Schwertfisch oder Thunfisch, die zudem ganz frisch sein müssen (Sushi-Qualität)!

8. Der Fisch muss leicht eingeölt werden, bevor er auf den Rost gelegt wird. Verwende dafür am besten Öl mit möglichst wenig Eigengeschmack, also Sonnenblumen- oder Rapsöl.

9. Halte die Grillzeit immer so knapp und so präzise wie möglich. Stell sicher, dass der Grill wirklich heiß genug ist. Es sollte ein Zischen zu hören sein, wenn der Fisch auf den Rost gelegt wird.

10. Würze den Fisch stets gegen Ende der Garzeit (siehe auch Punkt 3) und zudem nicht zu viel. Der herrliche Eigengeschmack soll erhalten bleiben. Ich habe vorhin ja schon zum Ausdruck gebracht, dass ich von Marinaden wenig halte. Was viel besser ist: Serviere den Fisch mit einer Reihe von Saucen oder Dips, so wie wir das auch bei uns im »Uri Buri« tun. Das können Austerndips sein, süßsaure oder scharfe Thai-Dips, Kapernsauce, Dips mit Koriander oder anderen Kräutern. Da gibt es keine Grenzen.

DER HOLZKOHLEGRILL

Ein Grill ist eine Vorrichtung, um brennende, später glühende Kohle zu »lagern« und dabei gleichzeitig das Grillgut von der Hitzequelle fernzuhalten. Der Fisch wird also auf einen Rost gelegt, der über der Kohle hängt, und dann auf der unten liegenden Seite gegrillt, anschließend muss er umgedreht werden, sodass auch die andere Seite gart. Wann gewendet werden muss, hängt von der Intensität der Hitze und der Entfernung zwischen Kohle und Fisch ab. Kohlegrills gibt es zahlreiche, die Modelle reichen vom kleinen tragbaren Campinggrill bis zu ausgeklügelten Exemplaren, in denen man unterschiedliche Garmethoden kombinieren kann, etwa mit Räuchern. Die Höhe des Grillrostes lässt sich bei vielen Geräten einstellen.

VORGEHENSWEISE

• Wähle unbedingt Holzkohle aus, die fürs Grillen auch wirklich geeignet ist, etwa Eiche, Buche oder Hickory. Das Holz von Bäumen mit einem hohen Harzanteil (Olivenbäume, Nadelbäume wie Pinien, Kiefern oder Fichten) hinterlässt in der Holzkohle einen bitteren Nachgeschmack. Verwende kein behandeltes Industrieholz.

• Bevor du das Grillgut auf den Rost legst, schau nach, ob wirklich alle Flammen erloschen und die Kohlen gleichmäßig weiß sind.

• Auf Rosten mit stabilen dicken und gerundeten Stäben lässt es sich wesentlich leichter und gleichmäßiger grillen als auf sehr dünnen Roststäben. Wichtig: Der Rost muss wirklich heiß sein, bevor man mit dem Grillen loslegen kann.

• Damit die zarte Haut oder das Fleisch der Fische nicht an den Stäben des Rostes hängen bleibt, kannst du diese auch ein wenig einölen, bevor du das Gargut auflegst.

• Platziere den Fisch auf dem Rost und bewege ihn für zwei Minuten nicht. Während dieser Zeit wird die Unterseite des Fisches etwas angeröstet und die Haut dabei ein wenig fester und trockener. Danach lässt sich der Fisch gut drehen. Wende den Fisch beim Garen aber nur ein einziges Mal.

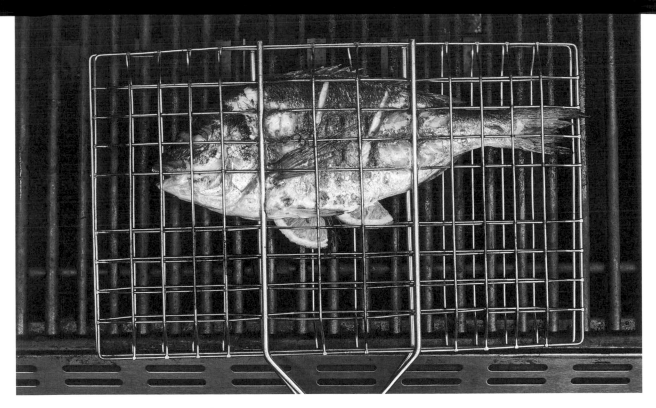

... und zum Schluss sieht der Fisch noch lecker aus!

• Verwende zum Anzünden der Kohle keine ent-
flammbaren Stoffe wie Benzin oder Spiritus. Das
wäre nicht nur äußerst gefährlich – der Benzinge-
schmack bleibt in der Kohle hängen und überträgt
sich auf den Fisch. Möchtest du das?

• Bitte aufpassen! Bei sehr fetten Fischen wie Aal
oder Tilapia tropft gerne das Fett in die Glut und
verbrennt. Dabei bilden sich krebserregende Stoffe,
die sich mit dem aufsteigenden Rauch am Grillgut
ablagern. Über die Entfernung des Grillguts zur
Hitze kannst du aber sehr gut steuern, wie stark
das Tropfen forciert oder verhindert wird.

• Ich habe immer eine kleine Sprühflasche mit
Wasser zur Hand. So kann ich Flammen, die durch
das Herabtropfen des Öls entstehen, sofort gezielt
löschen. Eine super Sache!

• Unbedingt mal ausprobieren: Lege frische oder
getrocknete Rosmarin-, Thymian- oder Oregano-
zweige auf die glühenden Kohlen. Das gibt dem
Fisch ein herrlich leichtes Kräuteraroma.

VORTEILE DES HOLZKOHLEGRILLS

Es ist nahezu die einzige Grillmethode, die einen
würzigen Geschmack ergibt, ohne dass man dafür
Gewürze verwenden muss. Außerdem ist dieses
Grillen ein gruppendynamischer Prozess, in den
Familie und Freunde eingebunden werden, lange
bevor es ans eigentliche Essen geht. Jeder kann
daran teilhaben. Wenn schon nicht beim Grillen,
dann wenigstens bei den Vorbereitungen.

NACHTEILE DES HOLZKOHLEGRILLS

Ich liebe es zu Grillen und kann keine Nachteile
finden, außer vielleicht, dass es etwas länger
dauert, bis man starten kann.

DER GASGRILL

Noch vor 15 Jahren waren Gasgrills eher etwas für sehr ambitionierte Köche oder Restaurants, heute stehen sie in fast jedem Garten. Die meisten von ihnen haben einen Deckel, womit sich ein ähnlicher Effekt erzielen lässt wie bei Holzkohle-Kugelgrills. Zusätzlich zur Grillhitze von unten hat man hier nun auch noch die Hitze, die sich in dem geschlossenen Garraum fängt. Vergleichbar ist das mit einem herkömmlichen Backofen. Das bedeutet, dass der Fisch wesentlich schneller und gleichmäßiger gar wird, als beim offenen Grillen ohne Deckel. Der Grill an sich wird über eine Druckleitung an eine Gasflasche angeschlossen, die ihn mit dem Heizmaterial versorgt.

VORGEHENSWEISE

• Drehe den Gashahn an der Flasche auf, sodass der Grill mit dem Brennstoff versorgt werden kann. Und nach dem Benutzen nicht vergessen, den Hahn wieder zuzudrehen.
• Fahre den Grill für einige Minuten auf volle Hitze und reinige den Rost mit einer Drahtbürste. Das kannst du auch nach Beendigung des Grillens machen, dann ist er fürs nächste Mal schon sauber.
• Lass den Deckel möglichst lange geschlossen, damit wenig Hitze verloren geht.
• Das sonstige Vorgehen entspricht dem beim Holzkohlegrill.

VORTEILE DES GASGRILLS

Man kann locker arbeiten, ohne Dreck zu machen. Die Flammenhöhe des Gasbrenners – und damit die Hitze – lässt sich sehr bequem und ganz individuell einstellen. Es ist auch viel einfacher als beim Holzkohlegrill, indirekt zu grillen, also nicht über direkter Hitze. Mit einem Gasgrill kann man stundenlang grillen, ohne sich um die Hitze sorgen zu müssen.

NACHTEILE DES GASGRILLS

Vor allem größere Gasgrills sind vergleichsweise schwer und umständlich zu bewegen. Und wenn dir das Gas plötzlich ausgeht und du keine Ersatzflasche hast, war's das mit Grillen für heute.

DER BACKOFENGRILL

Nur sehr wenige Menschen nutzen tatsächlich die Grillfunktion ihres Backofens, was eigentlich eine Schande ist, denn der Ofen besitzt viele Vorteile. Er ist stets da und er ist einfach zu bedienen – ganz ohne extra Vorbereitung. Nicht mal die Nachbarn müssen vorgewarnt werden, dass sich gleich viel Rauch in ihre Richtung bewegen kann, weil der Wind ungünstig steht. Nein, der Ofengrill ist diskret: Nur die, die begrillt werden sollen, wissen davon.

VORGEHENSWEISE

• Der Backofengrill arbeitet gleichmäßig ohne Höhen und Tiefen. Seine Intensität auf das Grillgut wird durch den Abstand zur Hitzequelle bestimmt. Je näher, desto heißer, klar.
• Die Backofentüre sollte während des Grillens möglichst geöffnet bleiben. Eine geschlossene Türe erhöht die Innentemperatur des Ofens und der Fisch bäckt eher als dass er grillt.
• Es ist ratsam, eine mit Wasser gefüllte Auffangschale auf den Ofenboden zu stellen und den Fisch auf einem Grillrost zu platzieren. Der aufsteigende Wasserdampf versorgt den Fisch mit Feuchtigkeit, die herabtropfende Flüssigkeit sammelt sich in der Schüssel, sodass der Ofen sauber bleibt.

VORTEILE DES BACKOFENGRILLS

Anders als beim Holzkohle- und Gasgrill, bei denen auf die Hitzequelle herabtropfendes Öl eine starke Rauchentwicklung zur Folge hat, befinden sich beim Ofengrill die Heizschlangen über dem Grillgut und kommen somit nicht mit dem Öl in Kontakt. Kein Anzünden von Kohle, kein langes Warten. Nur ein paar Minuten und schon kann das Grillen losgehen.

NACHTEILE DES BACKOFENGRILLS

Im Backofen gegrillter Fisch kann nicht den Geschmack aufweisen, der ihm auf einem Holzkohle- oder Gasgrill mitgegeben wird – im Ofen bleiben die Räuchereffekte aus. Nichtsdestotrotz ist diese Art zu Grillen der einfachste und schnellste Weg zu einem Low-Fat-Lunch mit Fisch.

DIE PLANCHA

Eine Plancha ist eine schwere Grillplatte aus Gusseisen oder Edelstahl, die auf eine extrem hohe Temperatur gebracht werden kann. Die Platte ist glatt oder geriffelt und wird von unten beheizt. Ohne die Verwendung von Öl kann darauf ein richtiges Rösten stattfinden – das sollte man aber wirklich kurz halten. Wird Öl verwendet, ist es eine Kombination aus Rösten und Braten. Als Ersatz für die Plancha geht immer auch eine schwere gusseiserne Pfanne mit dickem Boden. Dieses Material speichert die Hitze einfach so viel besser als dünne, leichte Pfannen aus Aluminium es tun.

VORGEHENSWEISE

• Die Plancha über einer möglichst breiten Hitzequelle (auf dem Grill oder in der Küche über Gas oder sogar auf dem Induktions- oder Cerankochfeld) postieren, um die Hitze optimal verteilen zu können.
• Der Fisch kommt erst darauf, wenn die Plancha wirklich heiß ist. Streut man zuvor etwas grobes Meersalz darauf, wird die Haut schön knusprig.
• Nach dem Reinigen sollten Planchas aus Gusseisen ein wenig eingeölt werden, damit sie nicht rosten.

VORTEILE DER PLANCHA

Schnell und einfach, macht relativ wenig Dreck.

NACHTEILE DER PLANCHA:

Der Grillgeruch breitet sich schnell aus und bleibt auch lange in der Küche hängen. Da kommt eine starke Dunstabzugshaube wie gerufen.

DER SALZGRILL

Streng genommen ist dieser »Grill« kein Grill im herkömmlichen Sinn, es ist eher eine spezielle Grillmethode: Hierbei wird ein ganzer Fisch in einer Form auf grobes Salz gelegt und mit noch viel mehr Salz, dem zuvor etwas Wasser beigefügt wurde, komplett bedeckt. Das Ganze kommt dann auf den Grill, alternativ auch in den Backofen. Aufgrund der Hitze sendet das Salzgranulat nun eine Strahlung ab, die der von Infrarot ähnelt, was wiederum einen dem Grillen vergleichbaren Effekt ergibt. Nur eben sehr ebenmäßig. Eine solche Salzverpackung nennt man auch Sarkophag. Am Ende wird dieser »Salzsarg« aufgeklopft und der Fisch serviert.

VORGEHENSWEISE

• 2 kg Salz mit 2 Eiweißen und etwa 100 ml Wasser in eine Schüssel geben und 2 Min. durchmischen.
• Die Hälfte des Salzes auf die mit Backpapier ausgelegte Form geben, den Fisch darauf platzieren und mit dem restlichen Salz sorgfältig bedecken.

VORTEILE DES SALZGRILLS

Diese Garmethode gilt als äußerst gesund, weil gar kein Fett im Spiel ist. Wir bereiten nicht nur Fisch so zu, sondern auch Huhn und sogar mit Gemüse.

NACHTEILE DES SALZGRILLS

Man kann keine Mengen für eine größere Runde auf die Art und Weise zubereiten. Und es ist eigentlich eine Verschwendung von Salz, denn dieses lässt sich nach dem Backen für nichts mehr gebrauchen.

BRATEN

Wenn ich Fisch oder Seafood brate, sei es in der Pfanne oder auf der Plancha, lasse ich immer zuerst das Kochgeschirr richtig heiß werden. Erst dann kommt das Öl hinzu und anschließend noch etwas grobes Meersalz. Das sorgt dafür, dass die Haut der Fische beim Braten wunderbar knusprig wird.

FISCHSTEAKS BRATEN
Die Qualität sowie die Genauigkeit des Bratvorgangs hängt von einer Reihe von Faktoren ab:
• Der Dicke des Stücks – je dicker ein Steak ist, desto länger ist die Bratzeit. Am besten gelingen Steaks zwischen zwei und fünf Zentimeter Dicke.
• Der Dichte des Fleisches – je fleischiger der Fisch, desto länger auch hier die Bratzeit. Ein dunkler Zackenbarsch etwa braucht – bei gleicher Größe – 20 Prozent länger als ein weißer Zackenbarsch.
• Die Art des Bratequipments – es macht einen Unterschied, ob ich auf einem Grill mit Holzkohle brate oder unter dem Salamander des Ofengrills.
• Dem Wenden der Steaks – einmal umdrehen reicht völlig, das möchte ich nochmals betonen. Dabei sollte die Bratzeit so verteilt sein: zwei Drittel auf der ersten, ein Drittel auf der zweiten Seite. Spät salzen, um Austrocknen zu vermeiden.

SCHARFES ANBRATEN (AM BEISPIEL THUNFISCH)
• Thunfisch trocknet sehr schnell aus, und wenn der Fisch dann noch zu lange gebraten wird, schmeckt er am Ende wie Thunfisch aus der Dose. Daher schön scharf und nur für sehr kurze Zeit auf beiden Seiten anbraten, das bringt die besten Ergebnisse.
• Ich habe die Erfahrung gemacht, dass es besser ist, den Thunfisch der Länge nach in Filets, anstatt quer in Steaks zu schneiden.
• Jeder Fisch, der rare oder medium serviert wird, muss von außergewöhnlicher Frische sein – zum einen, um einem Salmonellenbefall vorzubeugen, zum anderen natürlich wegen des Geschmacks. Daher ist alles, was ich zum Kauf und zur Behandlung von Fisch und Seafood am Beginn dieses Kapitels gesagt habe, wirklich wichtig. Bitte achtet immer darauf!
• Ich schneide den scharf angebratenen Fisch und serviere ihn auf einer Warmhalteplatte, damit er nicht abkühlt.
• Beim scharfen Anbraten nicht würzen, sondern erst danach, wobei Salz und Pfeffer stets genügen. Mit auf den Teller kommen ein paar Kräuter, extra dazu werden Saucen gereicht.

Kurz und heftig – so geht Thunfisch.

GANZE FISCHE BRATEN

• Was ich zum Braten von Steaks gesagt habe, gilt nahezu gleichermaßen für ganze Fische. Allerdings trocknen diese weniger schnell aus, da ihnen ihre Haut einen gewissen Schutz verleiht.

• Da sich die Fischhaut abziehen lässt, sollte sie etwas verbrannt sein, kann man ganze Fische auch höheren Temperaturen aussetzen.

• Manche Leute ritzen vor dem Braten die Fische an den Seiten ein – ich halte das für unnötig.

GARNELEN UND CALAMARES BRATEN

• Streue ein wenig grobes Meersalz auf die Plancha und gib einen Spritzer Rapsöl dazu. Nun nur ein paar Garnelen oder Calamares drauflegen – eine große Menge würde zu viel Flüssigkeit abgeben, was die Plancha abkühlen ließe.

• Mit einem Spatel die Garnelen oder Calamares auf der Plancha hin- und herbewegen – sie werden also nicht im Öl sautiert, sondern eher richtig angesengt. Dann runter damit, mit etwas Zitronensaft und Olivenöl für den Geschmack beträufeln – und das wars, das ganze große Geheimnis.

• Bei gemischtem Seafood mit den Calamares beginnen, die brauchen ein wenig länger als Garnelen.

JAKOBSMUSCHELN BRATEN

• Hitze karamellisiert die Jakobsmuscheln. Gib sie bei hoher Temperatur mit etwas geklärter Butter oder Öl kurz in eine richtig stark vorgeheizte Pfanne. Die Jakobsmuscheln können beim Karamellisieren sogar Flammen schlagen, aber das sollte dich nicht beeindrucken. Die Flammen legen sich rasch wieder ganz von selbst. Stelle nur sicher, dass die Jakobsmuscheln nicht verbrennen.

• Sind die Muscheln erst karamellisiert, kannst du sie für eine Minute in einer Sauce deiner Wahl (etwa in einer Sahnesauce mit körnigem Senf oder einer Ananas-Weißwein-Sauce) nachziehen lassen.

HUMMER BRATEN

• Hummer sollten möglichst zuerst im Ganzen für ein paar Minuten in sprudelnd kochendem Wasser blanchiert werden.

• Danach schneidest du sie der Länge nach in zwei Hälften und legst diese mit den Schnittflächen nach unten auf die Plancha. Durch das Karamellisieren beim Anbraten entsteht hier eine feine Süße.

• Serviert werden die Hummer dann samt Schale. Dazu kommen ein paar Saucen mit auf den Tisch, die maximieren den Geschmack. Sehr gut passen beispielsweise eine Zitronenhollandaise oder Aioli.

AUF EINEM OFFENEM GRILL BRATEN

• Auch auf einem Grill kann man natürlich braten, wenn es auf einer Plancha oder in einer gusseisernen Pfanne geschieht.

• Seafood dafür am besten auf Grillspieße stecken, dabei vorher noch in marmorierte Schinken- oder Speckscheiben einwickeln. Das gibt Geschmack und verhindert ein Austrocknen.

• Jakobsmuscheln kann man gemeinsam mit Gemüsen oder mit Früchten wie Mango, Guave, Papaya oder Feigen aufspießen. Es funktioniert selbst mit Süßkartoffeln.

SCHMOREN

Der Herr der Töpfe im »Uri Buri«:
Ali lässt es kräftig rauchen.

Der größte Vorteil des Schmorens ist, dass dabei das Fischfleisch nicht austrocknet und seine natürliche Feuchtigkeit erhalten bleibt. Ein weiteres Plus ist auch, dass die Schmorflüssigkeit zur Würzung der späteren Sauce verwendet werden kann. Ich rede beim Schmoren übrigens fast ausschließlich über Fisch, weniger über Seafood. Das bereite ich lieber auf alle möglichen anderen Weisen zu.

FISCH SCHMOREN

• Fisch sollte stets in geringen Flüssigkeitsmengen geschmort werden, weil so die Aromen des Fischfleisches ideal aufgefangen und ausbalanciert werden. Je größer die Flüssigkeitsmenge, desto mehr wird der Fisch ausgelaugt, verliert er an wertvollen Mineralstoffen, körpereigenen Salzen und an Geschmack.

• Die Schmorflüssigkeit sollte leicht gesalzen sein, um den originären Salzgeschmack des Fisches zu bewahren.

• Es ist ratsam, wenngleich nicht zwingend notwendig, auch ein wenig Öl hinzuzufügen. Dieses verlangsamt die Reduzierung der Flüssigkeit, da es nicht so schnell verdampft wie Wasser, und erhält zugleich das Fett des Fisches.

• Die Schmorzeit sollte kurz sein, damit die Struktur des Fischfleisches erhalten bleibt.

• Wenn du einen Fisch schmorst und die Flüssigkeit einkochen möchtest, nimm den Fisch nach maximal 20 Minuten aus dem Schmorsud und lege ihn erst wieder ein, wenn die Sauce die gewünschte Konsistenz aufweist.

• Der Fisch sollte gleich nach dem Schmoren aufgetragen werden. Ihn später wieder aufzuwärmen vermindert den Geschmack und die Textur.

• Gewürze kannst du gerne schon zu Beginn hinzufügen, frische Kräuter jedoch immer erst am Ende der Schmorzeit, da diese sonst auf dem Teller ausgelaugt, fade und in einer seltsamen Farbe erscheinen.

• Schmoren eignet sich nicht für Fische wie Sardinen oder Thunfisch, weil deren »schmelzendes« Fett einen komischen Nachgeschmack hinterlässt.

»MAN WEISS JA IMMER, WO MAN
ANFÄNGT, ABER NIE, WO MAN ENDET.«

DÄMPFEN

Zum Dämpfen braucht es nun wirklich keine komplizierten Apparaturen.

Dämpfen war lange Zeit nicht sonderlich populär, vielleicht weil man vom Aussehen des Endprodukts nicht besonders begeistert war. Doch diese Einstellung hat sich inzwischen stark geändert. Zu Recht, denn Fisch zu dämpfen hat absolute Vorteile. Das Dämpfen bewahrt die ursprüngliche Farbe des Fisches und aller mit ihm gegarten Gemüse. Auch die Textur und der Geschmack des Fischfleisches werden konserviert. Dazu wird der Fisch nicht von Wasser ausgelaugt (wie es beim Schmoren der Fall sein kann), er nimmt kein Fett auf (wie beim Braten) und er trocknet nicht aus (wie beim Backen). Überdies ist das Dämpfen der größte Freund des faulen Kochs, denn man muss hinterher weder den fettverspritzten Herd putzen, auch der Ofen bleibt sauber und es entsteht kein durchs Haus ziehender Geruch. Gedämpfter Fisch ist leichte und leckere Küche.

DER DAMPFGARER

Selbst viele Privatleute richten sich inzwischen ihre Küche mit einem Einbau-Dampfgarer ein. Es gibt sie mit und ohne Wasseranschluss, in letzterem Fall ist das Gerät mit einem herausnehmbaren Wasserbehälter zum Nachfüllen ausgerüstet. Solch ein Dampfgarer ist jederzeit einsetzbar, leicht zu bedienen und viel praktischer als ein Dampfkochtopf. Auch die Temperatur des erzeugten Dampfes lässt sich aufs Grad genau einstellen. Das ist wichtig, denn volle Lotte ist nicht immer notwendig oder gut.

DER DAMPFKOCHTOPF

Den gibt es schon ewig, er war der Vorfahr des Dampfgarers. Erst kommt Flüssigkeit in den Topf, dann auf den ersten Gittereinsatz Meeresfrüchte, auf den zweiten Gemüse (oder umgekehrt). Deckel auflegen, verschließen. Im Topf entsteht nun Druck, der durch ein Ventil im Deckel angezeigt wird. Im Dampfkochtopf mache ich Meeresfrüchte, aber keinen Fisch – er würde zu trocken werden.

DER BAMBUSDÄMPFER

Stammt ursprünglich aus China und besteht in der Regel aus drei Teilen. Den unteren Teil setzt man in einen passenden Topf, in dem Wasser erhitzt wurde. Nun kommt der Fisch auf die geflochtene Bambusfläche, darüber im mittleren Teil das Gemüse. Den Abschluss bildet der obere Teil, der Deckel.

DER FALTKORB

Das ist die wahrhaft einfachste Lösung. Ein auffaltbarer Korb (wie bei einem Fächer) wird in einen Topf gestellt. Seine erhöhten Füße verhindern direkten Kontakt zwischen dem eingelegten Fisch und dem Wasser darunter. Topfdeckel drauf und dämpfen.

VORGEHENSWEISE

• Das jeweilige Gerät muss schon erhitzt sein, bevor der Fisch hinzukommt.
• Der Fisch wird erst gegen Ende der Garzeit bzw. ganz zum Schluss gesalzen.
• Den Fisch nicht bloß über Wasser, sondern über Flüssigkeiten wie Hühnerbrühe oder Weißwein zu dämpfen, bringt richtig viel Geschmack in den Fisch. Alternativ kannst du auch etwas grob geschnittenes Gemüse ins Wasser geben.
• Die Dämpfflüssigkeit kann man etwas einkochen, mit Butter, saurer Sahne oder sogar Olivenöl verfeinern und dann als Sauce zum Fisch reichen. Das macht das Gericht zwar geringfügig schwerer, aber man kann sich ja mal was gönnen …

Sieht nicht nur gut aus, sondern verbindet auch Aromen.

BACKEN

Moderne Öfen kombinieren
diverse Möglichkeiten.

Ein Backofen hat mehr Dimensionen als andere
Hitzequellen. Das betrifft nicht nur die Temperatur,
sondern auch die Art der Hitze, die Feuchtigkeit
im Garraum oder den Grad der Bräune. Je mehr
Funktionen der Backofen hat, desto mehr Möglichkeiten gibt es. Und all das hat Auswirkung auf Gar-
dauer und Geschmack.

DER KONVENTIONELLE BACKOFEN
Dieser simple Backofen hat einen Temperaturwähler
(Thermostat), Einstellmöglichkeiten für Ober- und/
oder Unterhitze und den Grill sowie einen Timer.

DER UMLUFTBACKOFEN
Zusätzlich zu den Features des konventionellen
Ofens kann man hier die Hitze zirkulieren lassen,
sodass sie sich gleichmäßig im Ofenraum verteilt.
Neuere Backöfen sind serienmäßig mit Umluft aus-
gestattet. Ganz moderne Geräte bieten sogar
»4D-Umluft« an – dabei wechselt der eingebaute
Ventilator ab und an die Richtung. Das ist optimal.

DER KOMBIDÄMPFER
Das ist das Beste aus allen Welten. Hier wurden
Dampfgarer und Umluftbackofen miteinander kom-
biniert. Der Feuchtigkeitsgehalt im Gerät und die
Gartemperatur passen sich dank voreingestellter
Programme automatisch aneinander sowie an das
zu garende Lebensmittel an.

VORGEHENSWEISE

• Vermeide es, den Umluftbackofen auf zu starke Leistung zu stellen. Die Zirkulation sehr heißer Luft trocknet den Fisch aus.

• Es macht durchaus Sinn, den Fisch nicht auf dem Backblech des Ofens zu backen. Besser ist es, ein extra Blech, das um einiges kleiner ist, auf den Rost zu setzen und den Fisch darauf zu legen. Auf diese Weise kann die Hitze im Ofen besser zirkulieren und der Fisch gart gleichmäßiger.

• Heize den Backofen unbedingt vor (auch den Umluftbackofen!) und schiebe den Fisch erst dann hinein, wenn die gewünschte Temperatur wirklich erreicht ist.

• Ich rate dazu, den Fisch ungefähr eine Stunde vor dem Garen aus dem Kühlschrank zu holen und Raumtemperatur annehmen zu lassen.

• Benutze den Backofen (und auch die Mikrowelle) niemals dafür, Fisch aufzutauen. Ausnahme: Dein Ofen hat eine spezielle Auftaufunktion.

• Du kannst mit und ohne »Deckel« backen. Schiebe das Blech mit dem Fisch zunächst abgedeckt (ein zweites Backblech auflegen) in den Ofen und nimm dann für den letzten Minuten den »Deckel« ab.

• Was auch perfekt funktioniert: Brate ein Fisch-steak zunächst in der Pfanne oder auf dem Grill mit etwas Öl an und gare es dann im Ofen fertig. Auf diese Weise wird der Fisch zuerst »versiegelt«, so-dass dann beim Fertiggaren wesentlich weniger Fleischsaft austreten kann.

BACKZEITEN

• Es ist sehr schwer, hier klare Aussagen zu treffen. Jedes Öffnen der Backofentür, die Qualität des Ofens an sich, die Größe des Fisches, die Tempe-ratur, die Präzision des Thermostats – all das und viele weitere Faktoren beeinflussen die Garzeit. Checke einfach den Fisch, während er bäckt.

• Das Backen ist die wohl langsamste Zubereitungs-art unter all denen, die ich in diesem Buch vorstelle. 500 Gramm Fischfleisch braucht in aller Regel um die 15 Minuten, ganze Fische entsprechend länger, zugedeckt noch länger, so etwa 25 Minuten.

Es ist immer sinnvoll, die Größe der Backform der Größe des Fisches anzupassen.

Wir hängen hier einfach
nur so herum, okay?

FRITTIEREN

Es ist noch nicht so lange her, da war das Frittieren
von Fisch eine der beliebtesten Zubereitungsarten.
Als ich 1989 mein Restaurant eröffnete, wäre die
Küche ohne Fritteuse schier undenkbar gewesen,
dieses Gerät wurde am häufigsten benutzt. Damals
schickten wir noch 80 Prozent der Fischgerichte
frittiert an den Tisch. Heute werden bei uns nur
noch ein paar wenige, klassische Gerichte ausgebacken, etwa Calamaresringe, gefüllte Sardinen
oder sehr kleine Rotbarben. Das sind aber weniger
als fünf Prozent all unserer Speisen. Gegrillter,
gebackener, geschmorter oder sogar roher Fisch
sind daran vorbeigezogen.

DIE HERKÖMMLICHE FRITTEUSE

Hier kommt der Fisch in einen mit Öl (oder auch
mit Fett) gefüllten Behälter, der mit Gas oder Strom
beheizt wird. Die Temperatur kann genau eingestellt
werden. Der Fisch ist komplett vom heißen Öl um-
schlossen. Die Frittierzeit ist abhängig von der Dicke
des Fisches und wie knusprig man es haben möchte.
Wichtig beim Arbeiten mit der Fritteuse: Das Öl
muss auf jeden Fall seine Zieltemperatur erreicht
haben, bevor der Fisch hineinkommt. Und der
Behälter sollte nicht überladen werden. Eine zu
große Einlage lässt die Temperatur herunterfahren,
das Öl kühlt ab und der Frittiervorgang wird mehr
oder weniger gestoppt. Das Frittiergut saugt sich
mit Öl voll, anstatt knusprig zu werden.

DAS PFANNENFRITTIEREN

Das Frittieren in einer Pfanne funktioniert auch, ist aber etwas kritischer als das in einer Fritteuse. Die Temperatur lässt sich nicht so leicht kontrollieren, die Spritzgefahr ist höher. Wenn du in der Pfanne frittierst, sollte diese zumindest aus Gusseisen und die Ränder hochgezogen sein. Gusseisen erlaubt eine sehr gleichmäßige Hitzeverteilung und hält diese auch lange. Das Frittiergut darf nur einmal gewendet werden. Fischfilets werden immer erst mit der Hautseite nach unten frittiert.

VORGEHENSWEISE

• Im Gegensatz zu meinen sonstigen Empfehlungen kann man beim Frittieren den Fisch bereits zehn Minuten vorher salzen, nicht erst am Ende.
• Es gibt mehrere Möglichkeiten, Fisch oder Seafood zum Frittieren vorzubereiten. Eine wie auch immer geartete Umhüllung gibt dem Fisch einen knusprigen Schutz, unter dem seine Saftigkeit erhalten bleibt. Du kannst für so eine Umhüllung herkömmliches Mehl verwenden (angereichert mit Paprikapulver, Curry, Tandooripulver oder dergleichen). Es gibt aber auch speziellere Methoden wie Bierteig, japanische Panko Crumbles oder Tempura. Die Umhüllung sollte in jedem Fall dünn und gleichmäßig sein und sie darf dem Fisch keinesfalls die Show stehlen.
• Jetzt kommt der Fisch in das heiße Frittieröl. Dabei sollte er (außer wenn er eine feuchte Umhüllung hat, etwa einen Bierteig) außen trocken sein. Wasser und Öl sind niemals eine sehr gute Kombination, außer du liebst Chaos, Gefahr und heiße Fettspritzer.
• Das Öl (oder Fett) sollte regelmäßig gewechselt werden, um einen Nachgeschmack zu vermeiden. Das betrifft natürlich hauptsächlich die Fritteuse.
• Wenn du den Fisch aus der Fritteuse oder der Pfanne holst, lasse ihn über dem Frittiergeschirr ganz kurz abtropfen. Dann legst du ihn auf Küchenpapier, damit von diesem überschüssiges Öl absorbiert werden kann. So hinterlasst der Fisch auf dem Teller nicht gleich dicke Ölflecken.

Selbst zu frittieren ist nicht schwer und das, was rauskommt, schmeckt zehnmal besser.

WANN IST MEIN FISCH GAR?

GANZE FISCHE

• Bei ganzen Fischen lässt sich der Garpunkt überprüfen, indem du mit dem Finger die oberste Gräte der Schwanzflosse bewegst. Sie ist mit der Wirbelsäule verbunden, die durch den gesamten Fisch läuft. Lässt sich diese Gräte leicht bewegen, ist der Fisch gar.

• Und wenn man an der Bauchflosse zieht – und sie löst sich ganz leicht vom Fisch – ist dieser gar.

• Manche Leute ritzen den Fisch vor dem Garen diagonal an, was es einem später leicht macht zu sehen, ob er fertig ist: Mit dem Messer wird vorsichtig – an der dicksten Stelle des Fisches – in die Ritze gestochen, bis zum Grätenstrang. Lässt sich dann das Messer ganz leicht wieder herausziehen, ist alles gut. Dieses Einritzen lässt den Fisch zwar rascher garen, er wird dadurch aber auch trockener, da er Flüssigkeit verliert. Man sollte darum nur dicke Fische einritzen, da diese mehr Flüssigkeitsreserven haben und darum nicht so schnell austrocknen.

• Wurde der Fisch nicht eingeritzt und es gibt keine »vorgefertigte« Stelle, in die du einstechen kannst, tust du das in der Nähe des Kopfes oder des Rückgrats. Löst sich dort das Messer leicht vom Fleisch, ist der Fisch gar.

FISCHSTEAKS

Ein Fischsteak ist so geschnitten, dass sich in seiner Mitte ein Teil der Wirbelsäule befindet. Überprüfe einfach sanft mit einem Messer, ob sich das Fleisch davon leicht wegziehen lässt. Dann ist das Steak gar.

FISCHFILETS

Filets sollten weder Gräten noch Wirbel aufweisen, also kann man da nicht so vorgehen wie beim Steak. Doch es gibt einen anderen Weg. Lege das Filet mit der Hautseite nach unten hin und fahre mit einem Messer oder einer Gabel an der dicksten Stelle vorsichtig zwischen Haut und Fleisch. Löst sich beides gut voneinander, ist Essenszeit.

ÜBRIGENS

Wenn ich hier sage, der Fisch sei fertig, meine ich, er wurde gebacken, gekocht, frittiert, gegrillt oder geschmort, bis er durch ist. Da ist es wichtig, sich ins Gedächtnis zu rufen, dass manche Fische, wie etwa Thunfisch oder Schwertfisch, gar nicht durchgegart werden sollen, weil sie sonst zäh, trocken oder faserig werden können. Man kann sie sogar »kalt garen« – und genau darum geht es auf den folgenden Seiten.

»MAN SPRICHT MICH IMMER WIEDER AUF MEINEN BAUCH AN. ICH SAGE, ICH WÜNSCHE MIR, ICH HÄTTE, WAS ER GEKOSTET HAT – UND MEINEN FEINDEN NICHT DAS, WAS ER WERT IST.«

Thunfisch in Perfektion: Der größte Teil innen muss noch wirklich roh sein, sonst wird es eine faserige Angelegenheit.

ROHER FISCH

Als ich in den 1960ern nahe meiner Heimatstadt Naharija wieder einmal tauchen war, fragten mich ein paar französische Touristen aus dem nahe gelegenen Club Med, ob ich ihnen nicht ein paar Seeigel aus dem Wasser holen könnte. Damals gab es, im Gegensatz zu heute, unglaublich viele von diesen Meerestieren vor dem Akchziv Bach. Als ich sie ihnen brachte, brachen die Touristen sie auf und schlürften den Rogen heraus. Dann nahmen sie sich die Leber des Zackenbarsches, den ich gerade ausgenommen hatte – und verspeisten sie roh! Obwohl ich schon allerhand Geschichten über die bizarren Gewohnheiten der Franzosen (die ja auch Froschschenkel essen) gehört hatte, war ich doch einigermaßen schockiert. Seeigel? Fischleber? Das war einfach zu viel für mich. Im Nachhinein muss ich also sagen, dass mein Erstkontakt mit dem Verspeisen von rohem Fisch etwas traumatisch war – aber dann sollte es das Tor zu einer kulinarischen Welt öffnen, in der roher Fisch eine absolute Köstlichkeit ist. In Israel ging der Trend zu Sushi, Sashimi und Ceviche in den Neunzigerjahren richtig los. Und heute serviert nahezu jedes Restaurant, das etwas auf sich hält, zumindest das eine oder andere Gericht roh.

Das ist also beileibe nichts, was seinen Ursprung in Japan hat. Überall auf der Welt hat sich dort, wo wirklich frischer Fisch verfügbar war, diese Kultur entwickelt, ihn roh oder eben »kalt gegart« zu genießen. Zitrussäfte, Sojasauce, Salz, Alkohole oder Essige sind dabei Gehilfen, die feinen Fischfasern zu denaturieren. Die Kälte des Kühlschranks ist fürs Gelingen völlig ausreichend.

Möchte man rohen Fisch servieren, stehen an erster Stelle die Qualität des Produkts und seine Behandlung. Den Fisch durchweg auf sehr niedriger Temperatur, also schön kühl zu halten, ist essenziell. Frische ist hier nicht nur ein geschmacklicher, sondern auch gesundheitlicher Aspekt. Da der Fisch roh verzehrt wird, gibt es schließlich kein Abtöten von Keimen, das man in anderen Zubereitungsarten ja hat.

Also immer auf vollkommene Frische achten. Drei Tage aus dem Wasser sind das absolute Maximum. Unter optimalen Bedingungen muss der Fisch knapp am Gefrierpunkt gehalten werden, weil sich Keime dabei viel langsamer entwickeln. Vollständiges Einfrieren wiederum ruiniert die Qualität des Fisches und sollte wirklich nur im Notfall angewandt werden.

Von Nahem betrachtet, ist mancher Fisch wie eine wundersame Landschaft ...

Roher Fisch muss richtig appetitlich rüberkommen, dann ist er auch wirklich frisch.

VORGEHENSWEISE

• Kaufe unbedingt den frischesten Fisch, den es gibt, am besten beim Händler deines Vertrauens.
• Halte den Fisch knapp über der 0°-Grenze. Das schützt ihn vor Bakterienentwicklung und du kannst ihn so auch besser schneiden.
• Arbeite stets mit vollkommen sauberen Arbeitsgeräten: Untergrund, Messer, ...
• Schneide den Fisch gegen die Maserung. Dann ist er weniger faserig und lässt sich angenehmer kauen. Auch werden Gewürze oder sonstige Beigaben besser aufgenommen.
• Würze den Fisch erst ganz kurz vorm Servieren. Kommen etwa Salz und Zitrone vorher dazu, würden sie den Fisch pökeln oder marinieren, sodass man nicht mehr von rohem Fisch sprechen kann.

ROHE ÜBERRASCHUNGEN

Bereite doch einmal deinen kulinarisch abenteuerlustigen Freunden Seeigelrogen, Austern, Sardinen, Anchovis, Krabben oder Barschlebern »à la nature« zu, nur mit einer guten Scheibe Brot und etwas Butter dazu. Die Geschmacksintensität ist wie eine außer Kontrolle geratene maritime Explosion im Mund. Da braucht es kaum mehr. Vielleicht noch einen gut gekühlten Weißwein oder auch einen trockenen Martini als passende Sidekicks, aber das wars auch schon.

Hier ein paar Ideen:

• Wasche eine Blaukrabbe, säubere sie gründlich, brich sie in zwei Hälften und lege sie in Salzwasser (wobei das in diesem Fall 35 Gramm Salz pro Liter Wasser bedeutet). Hole sie nach zehn Minuten heraus und drücke das Fleisch heraus. Das ist eine wahre Delikatesse.
• Bei aromatischen kleinen Fischen wie Anchovis und Sardinen entfernst du die Wirbelsäule samt Gräten, Innereien und Haut, salzt den Fisch leicht und isst ihn sofort. Bevor es jemand anderes tut.
• Barschleber wird nur kurz in leicht gesalzenem Wasser gewaschen und in Scheiben geschnitten.

BEIZEN UND PÖKELN

Könnte auch Schnee sein, ist aber
grobes Meersalz.

Im Vergleich zur Zubereitung von Fisch, der roh gegessen werden soll, ist das Beizen etwas unkomplizierter im Hinblick auf Bakterien, da der Fisch ja in der einen oder anderen Säure »gegart« wird. Beim Beizen gibt es zwei Grundarten, nämlich die trockene Beize (das beschreibe ich später beim Graved Lachs) und die nasse, bei der man mit Zutaten arbeitet, die das Grundprodukt mürbe machen. Ein gutes Beispiel dafür ist der in Essig und Gewürzen eingelegte Sauerbraten – oder eben Fisch. Pökeln wiederum bezieht sich auf das Konservieren von Fisch durch Salz, zumeist Pökelsalz (eine besondere Mischung mit Hilfsstoffen wie salpetriger Säure, Zuckerarten oder Ascorbinsäure). Früher dienten Beizen wie Pökeln zur Haltbarmachung. Hatte man gerade viel Fisch zur Hand, wurde er konserviert, um auch später in mageren Zeiten etwas davon zu haben. Heute macht man das wohl eher aus kulinarischen Gründen, und die Prozesse an sich sind viel ausgereifter geworden.

NASS BEIZEN
• Meist beizt man den Fisch mit Zitronensaft, doch lässt sich stattdessen auch der Saft jeder anderen sauren Frucht verwenden. Achte dabei immer auf die anders geprägten Aromen. Fein schmecken Orange, Grapefruit, Limette, Pomelo oder sogar ein Mix verschiedener Früchte. Ach ja, Granatapfel und Passionsfrucht wären weitere Alternativen.

• Beizt man den Fisch mit Essig, nimmt er den Geschmack des verwendeten Essigs an: Spiele mit Weinessig, Himbeeressig, Reisessig, Balsamessig, Kokos- oder Apfelessig, …. Übrigens ist nicht immer der teuerste oder vermeintlich beste Essig auch der geeignetste. Bei uns im Restaurant verwenden wir ganz normalen Haushaltsessig und vor allem Reisessig, weil sie am besten passen.
• Je niedriger der Säuregehalt, desto länger ist die Beizezeit anzusetzen. Zwischen Säure und Zeit wird die Haltbarkeit des Fisches ausbalanciert. Und der beste Geschmack. Es gibt daher Möglichkeiten, kleine Filets bereits nach zwei, drei Stunden schmackhaft gebeizt zu bekommen, die meisten Experten schwören jedoch auf 36 bis 48 Stunden.

- Um den Geschmack des Fisches zu betonen, salze ich ihn vor dem Beizen nur ganz leicht, und zwar für etwa zehn Minuten. Dann wasche ich den Fisch wieder ab und lege ihn ein. Gerade bei Fischen wie Anchovis, Heringen, Sardinen oder Matjes nimmt das den bitteren Grundgeschmack weg.
- Manchmal gebe ich beim Beizen fürs Aroma noch einen Hauch Süße mit hinzu. Das kann Rohrzucker sein, Honig, Ahornsirup, Dattelsirup …
- Du kannst Gewürze wie Nelken, Sternanis, Pfeffer, Kardamom, Fenchel, Wacholder, Anis oder Zimt beimischen und damit den Geschmack des Fisches in eine ganz bestimmte Richtung lenken. Dabei aber bitte daran denken, dass übertriebenes Würzen den Gaumen irritiert, und zwar nicht nur den eigenen, sondern auch den deiner Gäste. Um gar nicht erst von dem der Schwiegermutter zu sprechen – und ich wünsche niemandem eine Schwiegermutter mit irritiertem Gaumen!

GRAVED LACHS

Der bekannteste gebeizte Fisch ist wohl der aus Skandinavien importierte Graved Lachs. Ich nehme den frischesten Lachs, den ich kriegen kann und beize selbst. Ich wasche ihn in etwas Cognac (alternativ dazu Pastis, Ouzo oder Whiskey nehmen), der auch ein wenig desinfizierend wirkt, streue etwas Karamellpulver und grobes Meersalz darüber, ein wenig Zucker und gehackten Dill. Koriandersamen, bunter Pfeffer oder Fenchelsaat können ebenfalls mit dazu. Ich lasse diese Beigaben für zwei Tage wirken und streiche sie dann vorsichtig mit den Händen vom Fisch ab – nicht abwaschen! Dann schneide ich den Fisch in dünne Scheiben und serviere sie mit einer Honig-Senf-Sauce oder mit einer geschmackvollen Sahnesauce.

PÖKELN

- Filetiere den Fisch. Streue grobes Meersalz auf den Boden eines Behälters und lege die Fischfilets mit der Hautseite nach unten darauf. Bestreue die Filets wieder mit grobem Meersalz. Das kannst du in mehreren Schichten so machen.
- Das Salz entzieht nun dem Fisch die Flüssigkeit und nach etwa einer halben Stunde schwimmt er sogar richtiggehend in einer Art Salzlake. Jetzt kannst du ganz nach Geschmack würzen. Du kannst Kräuter wie Thymian oder Lorbeer dazugeben, doch möchte ich ausdrücklich darauf hinweisen, dass jede weitere Zutat beim Pökeln (außer Fisch und Salz) die Haltbarkeit des Fisches verkürzt.
- Die Pökelzeit bestimmt die Salzigkeit des Fisches und zugleich den Grad der Konservierung. Je kürzer gepökelt wird, desto niedriger ist der Salzgehalt und desto kürzer die Haltbarkeit. Für ein leichtes Pökeln kannst du den Fisch im Grunde nach der halben Stunde schon wieder aus dem Behälter nehmen und mit kaltem Wasser abwaschen.
- Wichtig: Verwende ausschließlich grobes Meersalz, da handelsübliches feines Salz meist irgendwelche Substanzen enthält, die es daran hindern, Feuchtigkeit aufzunehmen. Und gerade das wollen wir ja beim Pökeln erzielen.

EINLEGEN IN ÖL

- Eine Methode, gebeizten oder gepökelten Fisch noch ein wenig länger haltbar zu machen, ist die anschließende Konservierung in Öl. Ich nehme dafür neutrales Öl, um mir alle Möglichkeiten zum Würzen offen zu lassen. Es ist aber auch denkbar, aromatisierte Öle zu verwenden, wobei ich da an Olivenöl, Walnussöl, Erdnussöl oder Kürbiskernöl denke.
- Der in Öl eingelegte Fisch muss gekühlt werden, aber man sollte darauf achten, das Öl keinesfalls gefrieren zu lassen, sonst verliert es seine Wirkung als Konservierungsmittel. Wenn Fisch zuvor gut gesalzen war, hält er sich im Kühlschrank so mehrere Wochen. Das Öl muss dabei übrigens immer über dem Fisch sein, ihn komplett bedecken.

Rezeptideen gibt es wie Sand am Meer, und es wäre eine Schande, sich nur auf Graved Lachs zu beschränken. Es gibt Länder, etwa in Ost- und Nordeuropa, in denen man Fisch in großen Mengen beizt oder pökelt, dann an der kalten Luft trocknen lässt und Schnaps dazu trinkt.

RÄUCHERN

Im Handel bekommst du zahlreiche Holzarten zum Räuchern.

Neben dem Beizen und Einlegen ist das Räuchern eine weitere klassische Konservierungsmöglichkeit. Die drei üblichen Methoden sind:

1. Heißräuchern
2. Kalträuchern
3. »Räuchern« mit Salzen und Extrakten

DAS HEISSRÄUCHERN

• Der Heißräucherofen ähnelt einer verschließbaren Kammer, in der oben ein Kamin mit einer Lüftungsklappe installiert ist, um die Zirkulation und den Abzug der Luft und des Rauchs bequem regulieren zu können. Unten gibt es eine Heizvorrichtung, in die Holzkohlechips, Kohle oder Holzscheite gefüllt werden können. In der Mitte ist eine Stange befestigt, an der sich der Fisch aufhängen lässt. Alternativ kann man Roste in die Kammer einführen, auf denen man den Fisch ablegt. Die Türe schließlich verfügt über verstellbare Lüftungsschlitze, sodass man die Menge der einströmenden Luft und die Stärke der Flammen, also die Hitze, bestimmen kann. Nach dem Anzünden des Heizgutes und der Eingabe des Fisches, schließt man die Türe und drosselt das Feuer. Jetzt wird der Fisch geräuchert. Dabei werden die Menge des Rauchs und der Hitzegrad passend geregelt, um das gewünschte Ergebnis zu erzielen. Das hört sich ein wenig kompliziert an, ist aber tatsächlich ziemlich einfach.

• Man kann wählen zwischen leichtem Räuchern bei hoher Temperatur über einen kurzen Zeitraum (das ist perfekt für alles, was für den sofortigen Verzehr gedacht ist oder nur kurz halten muss) oder intensivem Räuchern bei niedriger Temperatur über eine deutlich längere Zeit. So geräucherter Fisch hält sich ein bis zwei Wochen.

DAS KALTRÄUCHERN

• Das macht man, indem die Quelle des Rauchs von der eigentlichen Räucherkammer getrennt wird. Der Rauch durchzieht die Kammer dann bei niedriger Temperatur. So einfach. Und so gut. Es geht ja um das Raucharoma, nicht um die Hitze.
• Das Verwenden verschiedener Räucherhölzer erweitert das Spektrum an Geschmäckern. Es sind ganz unterschiedliche Holzarten oder auch Chips auf dem Markt erhältlich, von Hickory aus den USA bis hin zu Holzabfällen deines örtlichen Schreiners.

»RÄUCHERN« MIT SALZEN UND EXTRAKTEN

• Da das Räuchern inzwischen richtig in Mode gekommen ist, sich aber nicht jeder einen Räucherapparat oder eine Kammer hinstellen kann, gibt es eine große Auswahl an Hilfsmitteln, die das Räuchern geschmacklich quasi »simulieren«.
• Salze sind dabei ein wichtiges Hilfsmittel, Rauchsalz beispielsweise. Dieses entsteht durch Räuchern über Holz, das Raucharoma dringt dabei in die Salzkristalle ein. Werden dann die Zutaten (bei uns ist es Fisch) mit Räuchersalz gewürzt, erhalten sie ein leichtes Raucharoma.
• Eine Alternative zum Rauchsalz ist flüssiges Raucharoma, das auch als »Liquid Smoke« vermarktet wird. Ein guter »flüssiger Rauch« besteht aus Wasser oder Öl und Rauch, sonst nichts. Man kann das Extrakt nach Wunsch verdünnen, um nuancierter in der Küche zu arbeiten. Sehr gerne wird es beim Zubereiten von Grillsaucen oder -marinaden eingesetzt. Obwohl die Speisen damit letzten Endes immer einen leicht künstlichen Geschmackseffekt haben, kann man trotzdem so manch nette kulinarische Spielerei damit erreichen.

RÄUCHERREGELN

1. Damit die Qualität des Endprodukts stimmt, gilt auch hier wieder: Verwende wirklich nur ganz frischen Fisch!

2. Der Fisch muss vor dem Räuchern 20 Minuten oder auch zwei Tage lang in Salz gepökelt werden. Ganze Fische salzt man außen und auch ein wenig in der Bauchhöhle, Fischfilets legt man auf ein Bett aus Salz und bestreut sie dann noch damit (siehe S. 101). Dann muss der Fisch vor dem Räuchern vorsichtig kalt abgewaschen und trocken getupft werden.

3. Du kannst den Geschmack während des Pökelns variieren, etwa indem du abgeriebene Orangen-, Zitronen- oder Limettenschale zur Pökellake gibst, aber auch geraspelten Ingwer oder Gewürze.

4. Falls du heißräucherst, sollte das bei Fischfilets nicht länger als 20 bis 30 Minuten dauern, bei ganzen Fischen höchsten 40 bis 50 Minuten. Alles andere würde das Fischfleisch zu trocken und/oder zu salzig machen. Beim Kalträuchern ist der Zeitfaktor nicht so penibel zu beachten – im Extremfall kann das auch mehrere Tage gehen.

5. Hölzer wie Walnuss, Kirsche, Hickory, Eiche oder Buche geben einen delikaten Rauchgeschmack ab, Nadelhölzer bringen dagegen eine gewisse Bitternis. Pinien- oder Tannennadeln allerdings verleihen dem Räuchergut einen klasse Räuchergeschmack.

6. Verwende keinesfalls Holz, das zuvor durch Farbe, Wurmschutz, Imprägnierungen oder dergleichen behandelt wurde. Diese chemischen Substanzen vergiften das Holz bzw. den Rauch.

7. Wichtig: Beim Räuchern bekommen auch wir Rauch ab. Jedes Mal, wenn wir Ofen oder Kammer öffnen, setzt sich der Rauch in Kleidung, Haut und Haaren fest. Für Ungeübte ist sicherlich auch ein Mund-Nasen-Schutz eine gute Idee, um keine gesundheitsschädlichen Rauchgase einzuatmen.

TECHNIKEN KOMBINIEREN

Vor vielen Jahren einmal aßen wir im Carmel Center von Haifa in einem chinesischen Restaurant. Wie es in solchen Restaurants üblich ist, kamen viele unterschiedliche Gerichte gleichzeitig auf den Tisch. Auch mit dabei war bei uns eine Pfanne mit knusprig gebratenen Fleischstreifen. Wir entschlossen uns, mit den Speisen auf den Warmhalteplatten zu beginnen und hoben uns das knusprige Fleisch für später auf. So lange ließen wir den Deckel noch auf der Pfanne. Als das Fleisch an der Reihe war, mussten wir feststellen, dass die Knusprigkeit weg war, in der Pfanne lagen mehr oder weniger lasche Fleischstreifen.

Das mag für das Fleisch in diesem Fall nicht gut gewesen sein, doch die ganze Sache brachte mich auf eine Idee, die bei Fisch funktionieren könnte: warum nicht Braten und Dünsten kombinieren? Zurück in meiner Küche, erhitzte ich auf dem Herd eine gusseiserne Pfanne, gab ein wenig Öl hinein und dann – mit der Haut nach unten – ein Meeräschenfilet (ja, ein Buri!). Ich briet das Filet für etwa eine Minute und legte anschließend den Deckel auf. Das erste Resultat war noch nicht perfekt, doch es hatte eine interessante Note. Ein paar Tage später wiederholte ich das dann mit einer Regenbogen-

forelle, aber bevor ich den Deckel auflegte, gab ich diesmal etwas Sahne und schwarzen Pfeffer dazu. Das Ergebnis war unglaublich gut!

Nachdem du in den vorherigen Kapiteln alles über das Schmoren, Dämpfen, Braten, Backen, Grillen und Frittieren sowie über das Beizen, Pökeln und Räuchern erfahren hast, ist nun die richtige Zeit für den wichtigsten Abschnitt im Buch. Ich möchte dir zeigen, wie man all diese Methoden miteinander kombiniert. Denn beim Kochen ist es wie im Leben: Das Geheimnis liegt in der Abwechslung. Indem ich die Techniken variiere, maximiere ich deren Vorteile und minimiere gleichzeitig deren Mängel.

HIER SIND EIN PAAR GRUNDSÄTZLICHE IDEEN, WIE DU VORGEHEN KÖNNTEST:

• Wenn du Fisch im Ofen grillen möchtest, muss die Türe dabei offen bleiben. Bei geschlossener Türe bäckt der Fisch. Mein Vorschlag: Lass die Ofentüre einen Spalt offen (dafür einfach einen dicken Holzkochlöffel dazwischenstecken), das ermöglicht eine optimale Balance aus Grillen und Backen. Spiele dabei ruhig auch mit der Nähe des Fisches zum Grill. Der Abstand macht eine Menge aus.

• Wenn du hingegen den Fisch auf dem Grill zubereitest, lege gleich zu Beginn den Deckel auf – die meisten Geräte haben ja heute einen – und lasse den Grill möglichst lange geschlossen. Jetzt hast du eine Kombination aus Grillhitze von unten und heißer Raumtemperatur wie im Backofen.

• Wickle deinen Fisch mal in ein Bananenblatt ein (bekommt man im Asialaden frisch oder gefroren) und bereite ihn auf dem Grill zu. So wird er gegrillt und zugleich auch ein wenig gedämpft, da aus dem Bananenblatt Feuchtigkeit entweicht.

• Und dann gibt es da noch eine Reihe von Töpfen aus Ton (den guten, alten Römertopf etwa und die nordafrikanische Tajine) oder Gusseisen, bei denen du – wenn du sie richtig bedienst – ebenfalls mit der Feuchtigkeit während des Garens variieren kannst. Die Tontöpfe legt man vor dem Benutzen in Wasser ein, damit sie sich vollsaugen. Bei den gusseisernen hat der Deckel meist einen hochgezogenen Rand, damit man obendrauf Wasser geben kann. Das ergibt eine andere Luftfeuchtigkeit im Topf.

• Auch mal mit dem Deckel arbeiten: Du kannst den Fisch zuerst in der Pfanne offen bei großer Hitze anbraten, dann die Temperatur herunterfahren und einen Deckel auflegen. Der Fisch gart sanft nach.

Das wars? Keineswegs! Ich appelliere an dieser Stelle an den Mut und die Freude, Neues und auch Ungewöhnliches auszuprobieren. Es gibt so viele Techniken und Möglichkeiten, da ist das, was in der Küche denkbar ist, hier noch lange nicht auserzählt. Daher wollen wir uns auch gleich im nächsten Kapitel dem Würzen widmen, bei dem man mit Aromen und Geschmäckern spielen kann.

Man muss sich nur zu helfen wissen: kleiner Trick zum Reduzieren der Hitze.

WÜRZEN

Ich persönlich finde ja, dass einem ein ganz einfach zubereiteter Fisch nicht schlechter, sondern sogar besser schmecken kann als Beluga-Kaviar aus dem Schwarzen Meer oder ein Kugelfisch, der in der Businessclass aus Tokio eingeflogen wurde. Denn die Kombination aus dem Grundgeschmack eines frischen Fisches mit würzenden Zutaten ist das Geheimnis hinter dem geschmacklichen Resultat. Sie regt die Phantasie an und lässt den Koch experimentieren, um damit neue Geschmacksexplosionen zu kreieren, mit denen er seine Gäste erfreuen kann. Und natürlich auch beeindrucken.

Fast jeder kennt die Basis-Würzzutaten, die gut mit Fisch harmonieren: Zitrone, Koriandergrün und Petersilie, schwarzer, roter und grüner Pfeffer, Zimt, Nelken, Kardamom, Muskatnuss und Meerrettich. Aber es gibt natürlich noch viel mehr. Immer entscheidend ist jedoch die verwendete Menge, die Balance und das Timing – und diese Zutaten so einzusetzen, dass sie miteinander harmonieren.

KRÄUTER
• Es gibt Leute, die glauben, frische Kräuter seien getrockneten stets vorzuziehen. Ich denke aber, es kommt darauf an zu wissen, welches Kraut bei welcher Zubereitungsmethode am besten passt. Beim Grillen mag ich getrocknete Kräuter lieber, rohen Fisch würze ich eher mit frischen Kräutern.

- Mit »frische Kräuter« meine ich auch wirklich frische, also nicht welche, bei denen sich schon die Stängeln nach unten biegen und die Blättchen halb welk oder gar verschrumpelt sind – die haben dann nur noch wenig Power.
- Frische Kräuter sollten so kurz wie möglich vor der Verwendung gehackt werden, so verfliegt das ganze Aroma nicht. Auch sollte man sie erst gegen Ende des Garprozesses ins Gericht geben.
- Inzwischen gilt die Ausrede nicht mehr, man könne keine frischen Kräuter kaufen. Heutzutage bietet jeder kleine Supermarkt eine Auswahl an Kräutern an, mit denen es sich gut arbeiten lässt. Und selbstverständlich lohnt es sich, auch mal wieder auf den Markt zu gehen, wo man auch etwas exotischere Kräuter finden kann.

GEWÜRZE
- Getrocknete Gewürze, welcher Art auch immer, kaufst du am besten in möglichst kleinen Einheiten. Der Grund dafür ist simpel: Gewürze verlieren recht schnell ihr Aroma. Darum zu Hause auch unbedingt ordentlich lagern. Entweder gibst du sie in einen undurchsichtigen, luftdichten Behälter oder du legst sie in einer fest verschlossenen Tüte ins Gefrierfach. Alternativ kannst du die Gewürze auch mit einem neutral schmeckenden Öl mischen.
- Es macht durchaus Sinn, es einmal mit Gewürzmischungen zu versuchen, denn die sind oft schon auf bestimmte Einsatzmöglichkeiten abgestimmt. Da spreche ich etwa von Kräutern der Provence, Baharat, Currypulvern aller Art, Garam Masala oder auch Ras el Hanout.
- Individuelle Gewürze zu kaufen, um dann damit in einer persönlichen Zusammenstellung einem Menü einen ganz eigenen Stempel aufzudrücken, ist selbstredend das Beste überhaupt. Ich vergleiche das mit einem Künstler, der auf seiner Farbpalette die Farben mischt. Um den gewünschten Ton zu erzielen, verbindet er die Farben auf eine bestimmte Art und Weise – und für den unbeteiligten Betrachter wahrscheinlich nicht nachvollziehbar. Bei Gewürzen ist es genauso. Indem man beispielsweise starke

Gewürze wie Kardamom, Zimt, Nelken, Anis und Muskatnuss fachgerecht mixt, erhält man das Fünf-Gewürze-Pulver. Dieser Mix enthält zwar schmeckbar die einzelnen Komponenten, hat aber zugleich etwas völlig Neues mit eigenem Charakter.

PFEFFER
- Mit dem Thema »Pfefferschärfe« ließen sich viele Bücher füllen. Pfeffer ist nicht gleich Pfeffer, weshalb du immer im Hinterkopf behalten solltest, dass die Eindringlichkeit und Schärfe jeder Pfefferart anders ist und entsprechend ein anderes Gefühl im Mund hinterlässt. Szechuanpfeffer etwa ist nur mittelscharf, lähmt aber ein wenig den Mund, ähnlich wie die örtliche Betäubung beim Zahnarzt. Es gibt Pfeffersorten, deren Schärfe auf den Lippen brennt, bei anderen macht sie sich erst im Mund- und Rachenraum bemerkbar. Im Extremfall taucht die Schärfe auch erst als Nachbrennen beim Aufstoßen auf.
- Wichtig ist es, den Typ und die Menge des Pfeffers immer so zu dosieren, dass auch das gewünschte Ergebnis herauskommt. Mein Tipp ist daher, gerade scharfe Pfefferarten nach und nach dazuzugeben und dabei öfters abzuschmecken. Das gilt für frischen wie für getrockneten Pfeffer.
- Schwarzer Pfeffer ist der populärste, fast alle Gerichte benötigen eine Prise davon. Seine leichte Schärfe und der typische Geschmack durchzieht die Küchen vieler Kulturen, er ist wandlungsfähig und universell einsetzbar.
- Grüner Pfeffer schmeckt erfrischend und eher krautig, die Beeren wurden jung geerntet. Man bekommt grünen Pfeffer frisch, in Lake eingelegt oder auch getrocknet – ungeschält als ganze Beeren.
- Weißer Pfeffer ist hingegen voll ausgereift und wurde geschält. Sein Geschmack ist scharf, tendiert jedoch zu einer gewissen Animalität. Das Aroma erinnert ein wenig an einen Pferdestall.
- Lang gereifter, echter roter Pfeffer – das Highlight unter den Pfeffersorten – ist schwer zu bekommen. Wenn du ihn aber mal in die Finger kriegst, vergiss alles andere. Kein echter Pfeffer sind dagegen die weit verbreiteten rosa Pfefferbeeren.

- Es gibt auch Pfeffermischungen, vor allem in Restaurants stehen sie in Mühlen auf dem Tisch. Dieser bunte Pfeffer mag für manche Speisen gut sein, bei anderen taugt er nichts. Ich verwende ihn in einigen Rezepten, wo sich ein schöner Pfefferbogen der verschiedenen Richtungen spannen soll.
- Wenn es um Fisch geht, gilt die klare Regel, dass der Geschmack des Pfeffers den Eigengeschmack des Fisches nicht überlagern darf. Von Szechuanpfeffer – auch das übrigens kein echter Pfeffer – rate ich in den meisten Fällen ab. Man kann beim Essen oft nicht mehr unterscheiden, ob man nun Fisch im Mund hat oder einen Pappkarton.

SALZ

- Salz ist die beliebteste Würzzutat in der Küche, es wird weit mehr als alle anderen Gewürze verwendet. Solange man es gezielt einsetzt, unterstreicht und verbessert es Eigengeschmäcker, darin liegt seine Großartigkeit.
- Zum täglichen Gebrauch verwende ich in der Küche ganz normales grobes Salz. Feines Speisesalz steht meist nur auf dem Tisch, damit man sich beim Essen davon nehmen kann, wenn einem Salz fehlt.
- Meersalz wird traditionell aus kleinen Becken gewonnen, in denen das Salz eintrocknet, wenn das Meer sich bei Ebbe zurückzieht. Manchmal beinhaltet es auch »natürlich gepökelten« Tang – leider aber auch immer mehr Anteile an Mikroplastik.
- Schwarz, grün oder rot gefärbte Salze setzt man ein, um optische Wirkungen zu erzielen. Ein echter Geschmacksunterschied ist selten festzustellen.
- Das solltest du unbedingt mal probieren: Streue kurz vor dem Servieren etwas grobes Salz auf gegrillte Fischsteaks oder -filets. Der Umstand, dass das Salz vom Fisch noch nicht ganz aufgenommen wurde, wenn es ans Essen geht, hinterlässt einen herrlichen Crunch im Mund und sorgt zudem für ein Ineinandergehen der Geschmäcker, was den Fisch sogar noch betont.
- Wenn du den Geschmack von Seewasser imitieren möchtest, vermische 40 Gramm grobes Meersalz mit einem Liter Leitungswasser. Mit Anchovis darin verstärkt sich der Effekt. Die wiederum verwende ich dann für alle möglichen Anwendungen. Beispiel: gebeizte Anchovis sehr fein hacken oder durch eine Knoblauchpresse direkt in Saucen drücken. Bringt Salzigkeit mit dem extra Pfiff.
- Fischsauce, Sojasauce und Austernsauce nehme ich sehr gerne, weil sie nicht nur salzen, sondern weitere Geschmackselemente mitbringen.
- Inzwischen koche ich, verglichen mit meinen Kochanfängen, mit sehr wenig Salz und reduziere immer weiter. Salz (und Zucker) überlagert viele andere Geschmackrichtungen.
- Etwas anderes ist es, wenn man Fisch im Salzteig, also mit dem Sarkophag-Effekt (siehe auch S. 84) zubereitet. Üblicherweise entzieht Salz dem Gargut Saft, doch hier ist es genau umgekehrt. Der Fisch bleibt in seinem Salzmantel herrlich zart und bräunt dennoch, weil das Salz weniger Hitze, dafür mehr Strahlung durchlässt. Und erfreulicherweise schmeckt der Fisch auch nicht versalzen.

ZUCKER

- Auch Zucker verträgt sich sehr gut mit vielen Gerichten, wenngleich man heute aus gesundheitlichen Gründen wesentlich sparsamer damit umgeht (oder umgehen sollte) als in früheren Zeiten.
- Der einst unumgängliche weiße, raffinierte Haushaltszucker wurde von anderen Zuckersorten und Süßungsmitteln in den Schatten gestellt. Populär sind brauner Zucker (aus Rüben) und Rohrzucker, Dattelzucker (am besten aus der Dattelsorte Filan, diese ist qualitativ am hochwertigsten), Palmzucker, Ahornsirup, Kokoszucker und natürlich Honig, aber auch diverse Fruchtsirupe. Mit diesen Süßungsmitteln lassen sich neue Geschmackswelten entdecken und man kann sich gesünder ernähren.
- Der Gebrauch alternativer Süße lässt Gerichte in völlig unterschiedliche Richtungen abdriften. Statt des normalen Honigs einen Ahornsirup in einer klassischen Honig-Senf-Sauce zu verwenden, bringt einen komplett anderen Geschmack. Spiele ruhig etwas herum mit diesen Variationen, vielleicht kommen da für dich ganz neue Erlebnisse heraus.

- Auf den ersten Blick passen Süße und Fisch nicht zusammen. In den frühen 1970er Jahren wurde bei uns in Israel die chinesische Küche, in der süßlich-pikante Gerichte serviert wurden, immer bekannter. Mit der Zeit haben wir uns daran gewöhnt, und heute werden doch viele Fischgerichte mit einem gewissen Grad an Süße gekocht. Die Verwendung von Zucker, tropischen Früchten und Sirupen ist mittlerweile in vielen Restaurants ganz normal und findet sich auch bei uns. Einige Rezepte im hinteren Teil dieses Buches zeugen davon.
- In meiner Küche finden Zucker und Salz oder noch besser gesagt Süße und Salzigkeit parallel zueinander statt. In besonders süßen Rezepten, wie einem Karamelleis, kontert ein Löffel Salz die Süße. Umgekehrt beize ich Graved Lachs außer mit Salz eben auch mit einer ordentlichen Menge an Zucker.

SÄURE

- Fisch und Zitrone sind eine logische Verbindung, in vielen Lokalen werden diese beiden Lebensmittel als untrennbar angesehen. Es hat mich Jahre gekostet, manche meiner Gäste davon zu überzeugen, dass es auch andere Wege und Möglichkeiten geben kann. Ich habe mitunter den Verdacht, dass dieses hysterische Beträufeln von Fisch mit mehr oder weniger Zitronensaft den Geruch von Fisch jenseits seines Frischezenits überdecken soll.
- Natürlich verwende ich auch Säure bei der Zubereitung von Fisch, einfach weil sie gut passt, aber ich habe andere Quellen als die klassische Zitrone für mich entdeckt: Die herrlich frische Limette beispielsweise. Oder Essige, egal ob diese aus Wein, Apfelmost, Reis, Zitrusfrüchten und anderen Grundsubstanzen hergestellt wurden. Das Zitronengras, einfach einzigartig! Und auch der Sauerklee! Pflanzen haben mitunter wahrlich erstaunliche Eigenschaften. Man sollte sich allerdings mit Wildkräutern auskennen, wenn man selber zum Pflücken geht, um keine giftigen Sorten zu erwischen.
- Bei der Säure verhält es sich wie beim Zucker: Eine durch eine andere zu ersetzen, verändert den Geschmack radikal. Säure muss sich aber nicht auf Flüssigkeiten beschränken. Ich serviere bei uns im Restaurant beispielsweise Dorade mit Joghurt und eingelegten Zitronen, wodurch zwei verschiedene Säurearten kombiniert werden.
- Vor einigen Jahren war der Balsamico der letzte Schrei. Alle Welt glaubte, diesen verwenden zu müssen, es gab kaum ein Gericht, das nicht mit Balsamico »veredelt« wurde. Um es aber klar zu sagen: Balsamico hat ein sehr spezielles und dominantes Aroma. Und für viele Rezepte ist ein einfacher Essig viel passender, etwa für eine Remoulade.
- In einigen unserer eigenen Rezepte verwenden wir Reisessig. Rote-Bete-Salat mit Sherryessig oder Kartoffelsalat mit Apfelessig? Traumhaft! Lass dich bloß nicht einengen und begrenzen, wo es doch so viele Möglichkeiten gibt.
- Den Geschmack und die Intensität eines Essigs einzuschätzen, wenn man ihn pur probiert, ist sehr schwer, denn er verengt die Geschmackspupillen, sobald man ihn im Mund hat. Ich habe mir daher eine bestimmte Vorgehensweise ausgedacht, um Essiggeschmack wirklich bewerten zu können. Ich vermische einen Löffel leicht gezuckertes Wasser mit einem Löffel des zu verkostenden Essigs. Oder ich nehme Olivenöl zum Mischen, auch das bringt die individuellen Attribute des Essigs zum Vorschein.

ÖLE

- Öle hatten es lange Zeit schwer, die Anerkennung zu bekommen, die sie durch ihren Einfluss auf die Speisen verdient haben. In den letzten Jahren ist es aber zum Glück viel besser geworden. Hochwertiges kaltgepresstes Olivenöl hat sich ein hervorragendes Standing als köstliche und gesunde Zutat erkämpft. Die Produzenten überbieten sich im Kampf um die Qualität, Öle werden heute fast schon wie Weine beschrieben: nach ihrem Körper, den Aromen, den Geschmäckern, den Nuancen. Und nicht nur Olivenöl hat den Markt erfolgreich erobert, es gibt noch weitere großartige Öle, so etwa Walnussöl, Traubenkernöl, Kürbiskernöl, um nur einige zu nennen.

• Olivenöl wird vorrangig über die Pressmethode bewertet, wobei die erste Pressung (»nativ« oder »extra vergine«) als die beste gilt. Danach kommt die Einschätzung durch die Olivensorte, weil diese den Geschmack stark vorgibt. Die Reife der Oliven bei der Pressung spielt eine weitere wichtige Rolle. Früh geerntete grüne Oliven haben einen höheren Anteil an grüner Säurebetonung und auch eine gewisse Bitternis, während Oliven, die länger am Baum hingen, mehr Geschmack und weniger Säure aufweisen. Kalte Pressung ergibt mehr Aroma und lässt das Öl individueller und interessanter werden als Erwärmung oder gar Erhitzung.

• Ich unterscheide nicht so sehr zwischen »gutem« und »schlechtem« Olivenöl, mir geht es mehr darum, ob etwas passt oder eben nicht. Frischer Blattsalat oder Labaneh (ein aus Joghurt hergestellter Käse) braucht die Säure und leichte Bitternis von jungem Olivenöl. Solch ein Öl allerdings zu benutzen, um damit Fisch zu braten, zerstört den Geschmack. Ich liebe es, Meeräschenfilets in Olivenöl bei nicht zu hoher Temperatur zu braten, doch dazu brauche ich eben das richtige Olivenöl.

• Generell darf man Olivenöl nicht zu hoher Hitze aussetzen, weil es einen niedrigen Rauchpunkt hat und schnell verbrennen kann. Damit setzt es dann Bitterstoffe frei, die das ganze Gericht verderben können. Wir sind im Restaurant dazu übergegangen, nur noch Olivenöl zu verwenden, wenn es mindestens ein halbes Jahr alt ist. Damit verhindern wir grüne Noten und ein Zuviel an Bitternoten.

• Es gibt zwei Sorten Sesamöl: das helle Sesamöl, das aus unbehandeltem Sesam gewonnen wird, und das dunkle Öl aus den gerösteten Samen, das man in China und Japan oft und gerne verwendet. Steht in einem Rezept Sesamöl auf der Zutatenliste, ist meist das dunkle gemeint, auch wenn es nicht immer explizit erwähnt wird. Ich nehme das geröstete Öl meist für Saucen wie die Knoblauch-Zwiebel-Sauce für Steaks. Da es sehr dominant ist, braucht es immer nur einen Spritzer davon. Ein einziger Teelöffel geröstetes Sesamöl dreht eine ganze Sauce auf links.

• Es ist ratsam, ein solches Öl immer erst zum Ende des Garprozesses dazuzugeben, da es sonst die Aromen versiegeln könnte.

Mit den ganzen gerade genannten Zutaten kann man ja herrliche Effekte mit besonderen Produkten erzielen. Soll aber der Fisch der Hauptakteur sein, greifen wir auf neutralere Dinge zurück: Reisessig, der lediglich Säure bringt, neutral schmeckendes Sonnenblumenöl und raffinierter weißer Zucker. Oder auch ganz einfaches Salz.

EMULSIONEN

• Unter Emulsion verstehen wir hier die Verbindung von Fett mit Wasser oder Milch. Manche Öle werden dazu hergenommen, in einer Emulsion für Stabilität zu sorgen, sie von einem flüssigen in ein festes Stadium zu überführen. Wird die Emulsion erhitzt, wird das Fett wieder flüssig. Weitere Erhitzung lässt die Flüssigkeit verdampfen und das Fett wird fest. Palmölmargarine wäre so ein Beispiel. Emulsionen werden meist für Saucen verwendet, eignen sich aber auch zum Braten.

• Die verbreitetste Form von Emulsion sind Butter und Sahne, der Welt geschenkt von der französischen Küche, wo sie traditionell bei fast jedem Gericht eine führende Rolle spielen. Es sind auch meine Lieblingsemulsionen.

• Mein Arzt ist nicht wirklich begeistert von meinen Vorlieben. Doch bin ich zu der Auffassung gelangt, dass, hätte ich mich immer nach den Ratschlägen meines Arztes gerichtet, wäre ich kein Restaurantbesitzer geworden. Ich hätte die Gesellschaft meiner Familie und meiner kulinarischen Freunde nicht so genossen. Und ich denke, du würdest jetzt auch nicht dieses Buch in Händen halten.

BUTTER, SAHNE, KOKOSMILCH

• Die öffentliche Meinung über Butter und Sahne hat ein wenig gelitten, bedingt durch die Aussagen über deren Kalorien- und/oder Cholesteringehalt, obwohl inzwischen wissenschaftlich aufgedeckt wurde ist, dass Fett nicht fett macht, sondern

Das Auge isst nicht nur mit, es kocht auch mit.

Zucker. Und für den Geschmack von Sahne und Butter gibt es einfach auch keinen gleichwertigen Ersatz. Es sind inzwischen viele »Light«-Produkte auf dem Markt, doch davor wird teilweise sogar noch mehr gewarnt als vor den Originalen. Also: Mach dich einfach locker!

• Unsere Speisekarte hat mehrere Gerichte, die Sahne enthalten: Regenbogenforelle in der guss-eisernen Pfanne, Zackenbarsch mit Steinpilzen und Sahne, Jakobsmuscheln mit Algen, Sahne, Ingwer und Weißwein, Krabbenfleisch mit Sahne und Algen und noch vieles mehr. Wir probieren viel aus und variieren die Saucen. In einem Menü rücke ich Gerichte mit Sahne nach hinten, weil sie etwas schwerer sind als solche mit einer leichten Sauce. Es würde einen sonst zu früh zu satt machen.

• Butter gebührt in der Fischküche ein Ehrenplatz. In Frankreich wird nahezu jede Sauce mit Butter gebunden. Ich liebe sie, um beispielsweise damit Garnelen mit Knoblauch anzuschwenken. Doch um ehrlich zu sein, ich habe den Gebrauch von Butter im Restaurant ein einiges reduziert und nehme dafür mehr Olivenöl.

• Kokosmilch ist in der israelischen Küche noch ein Nachzügler, sie wird recht selten verwendet, wohingegen diese aromatische Milch in Mittel-europa schon länger gebräuchlich ist, man kann sie nicht nur im Asialaden, sondern in jedem Super-markt bekommen. Kokosmilch ist nicht unbedingt gesünder als Sahne, besitzt aber aufgrund ihres Aromas einen gewissen Suchtfaktor. Ich kombiniere sie gerne mit Curry oder sonstigen östlichen Würz-faktoren, das geht klasse zusammen.

GESCHMACKSVERSTÄRKER

• Der Lebensmittelmarkt ist voll von Produkten, in denen Geschmacksverstärker verwertet wurden, die auf Mononatriumglutamat oder auf Hefeextrakt basieren. So soll der Geschmack hervorgehoben werden. Ich versuche, wo es nur geht, solche Pro-dukte zu vermeiden. Gerichte und auch einzelne Lebensmittel sollten für sich selbst sprechen.

• Leider ist die Kennzeichnung auf Lebensmittel-packungen oft irreführend. Selbst wenn vorn »Ohne künstliche Geschmacksverstärker« steht, findet sich in der Zutatenliste meist Hefeextrakt.

TRENDS

Der einzige Trend, dem ich folge?
Es muss schmecken! Immer!

Als ich etwa zwölf Jahre alt war und eines Tages aus dem Haus wollte, hielt mich eine meiner Schwestern auf: »So kannst du doch nicht aus dem Haus gehen – blaue Hose und grünes Hemd!«. »Wieso«, fragte ich, »was ist falsch daran?« Sie klärte mich auf, dass kein Mensch diese Farbkombination trägt, das ginge einfach nicht. Zwei Jahre später stand sie plötzlich da, in Grün und Blau gekleidet, und wollte nach draußen. Also fragte ich sie, warum sie das machen würde. Jetzt wäre das topmodern, lautete ihre Antwort.

Ich habe das, ehrlich gesagt, noch nie wirklich verstanden – wo kommt das her? Wer macht das vor oder wer sagt, was Mode ist?

Trends in der Küche sind nicht anders als in der Modebranche. Was gibt es nicht immer für neue »Entdeckungen« in der kulinarischen Welt! Die einen essen zwei Tage die Woche nichts, die anderen keinesfalls mehr nach 17:00 Uhr. Die Nächsten ernähren sich paleo, also steinzeitlich, wieder andere vermeiden Zucker, essen salzlos, vegetarisch, vegan, glutenfrei, laktosefrei, nur Low Carb, garen alles durch oder essen ausschließlich rohe Produkte. Es gibt sogar Menschen, die essen nichts, was man dafür aus der Erde ziehen oder vom Baum pflücken muss. Es soll einem schon gefälligst von selbst in die Hand oder in den Mund fallen! Habe ich noch etwas vergessen außer Molekular-Tüftelei, Clean Eating und »nichts kommt von weiter her als 20 Kilometer Umkreis«? Bestimmt …

Und in den Restaurants wird dieser ganze Unsinn lustig mitgemacht. Hier sind Trends unzählbar und unbezahlbar. Diese Hypes können neue, spezielle Geräte sein, angesagte Produkte wie Quinoa oder Balsamico, Landesküchen wie französisch oder japanisch. War es früher einmal in, richtig große Portionen aufzutischen und den Gästen den Rest in Doggy Bags mit nach Hause zu geben, so hat sich das nun auch wieder gewandelt.

Ich war vor einiger Zeit in einem skandinavischen Restaurant, in dem man unbedingt gewesen sein muss, hieß es. Es war DAS große Ding! Vorgeführt wurde den Gästen eine Riesenshow in mehr als 20 Gängen – aber kein vernünftiges Essen kam auf den Tisch. Da war Schaum hier, Trockeneis da, heiße Luft dort. Und die Rechnung war exorbitant. Manche Leute suchen Trends, nicht den Geschmack.

Für mich ist es ganz einfach: Gutes Essen bleibt immer gut. Selbstverständlich braucht man auch einen Wandel, weil sich die Zeiten ändern, der Geschmack wechselt, sich das Verständnis über Zutaten, Produkte und Rezepte erneuert. Also kann man korrigieren und verbessern. Mal willst du deine Gäste oder deinen Partner überraschen. Muss das dann gleich radikal sein? Da hätten wir dann wieder das WOW!, das dem Effekt oder der Technik entspringt, nicht aber dem Geschmack.

Eigentlich ist das Kochen vergleichbar mit einer Lotterie. Es sind 49 Kugeln, von denen sechs gezogen werden – was 14 Millionen Kombinationsmöglichkeiten ergibt. Beim Zubereiten von Speisen mit seinen ungleich mehr Zutaten sind es demnach fast unendlich viele Variationen. Rechnen wir es doch mal durch: Nehmen wir an, ein Koch arbeitet 180 Stunden im Monat und testet 10 Kombis pro Stunde. Das macht im Monat dann 1800 Rezepte. Aufs Jahr gerechnet sind das schon 21.600 Kombinationen, und auf ein Arbeitsleben von 50 Jahren 1.080.000 Rezepte! Es bräuchte demnach 13 Leben, um alle Möglichkeiten auszuschöpfen, die sich mit nur sechs aus 49 Zutaten ergeben können. Daher stellt sich schon die Frage, warum es Trends braucht, wenn sich Millionen von Köchen die Chance bietet, sich mit eigenem Charakter in der Küche eine Kundschaft zu suchen.

Ich bin stolz darauf, in meinem Restaurant seit mehr als drei Jahrzehnten keinem Trend zu folgen, sondern meinen Stil entwickelt zu haben. Stil hält sich, der Trend dagegen richtet sich nach dem Wind. Die Basis, auf die das »Uri Buri« gebaut ist, besteht aus guten Produkten, Portionen, wie ich sie gerne esse (eher kleiner) und einer großen Breite und Tiefe des Angebotsspektrums. Unsere Zubereitungsarten sind nicht abgehoben, sondern ganz normal und für alle zu Hause ohne weiteres nachkochbar. Jedes Restaurant, das neu aufmacht, braucht einen besonderen USP, mit dem es sich von den anderen abgrenzen möchte – und wählt dabei seltsamerweise oft einen Trend aus. Zu mir kommen immer noch Gäste, die vor 30 Jahren ein bestimmtes Gericht gegessen hatten und es heute wieder essen möchten. Und oft auch können. Manche der Speisen stehen tatsächlich immer noch auf der Karte.

REZEPTE

Und nun ran an die Töpfe, Pfannen und
Planchas, raus mit den Schüsseln und
Messern – es wird gekocht!

ZUM UMGANG MIT DEN REZEPTEN

Es ist mir eine Freude, mit dir eine ganze Reihe von Rezepten zu teilen. Sie spiegeln das wider, was ich selbst gerne esse und was ich sozusagen an Lieblingsrezepten über all die Jahre angesammelt habe.

Schon beim Durchblättern wirst du feststellen, dass es in aller Regel nicht viele Zutaten sein müssen, die ein gutes Gericht ausmachen, ganz im Gegenteil. Im Restaurant arbeiten wir ohnehin sehr reduziert und puristisch – in den meisten Fällen sind es nicht mehr als acht Lebensmittel, und die fertige Speise braucht in der Küche nicht länger als sieben Minuten, bis sie dem Gast serviert werden kann. Das geht natürlich nur, weil wir viel schon »mise en place« vorbereitet haben und nicht für jeden einzelnen Teller den Knoblauch schälen oder die Kräuter hacken. Daher ist der Zeitbedarf für den Gebrauch zu Hause etwas höher angesetzt, damit es für dich auch realistisch einzuschätzen ist. Hie und da habe ich zudem das Prinzip der acht Zutaten durchbrochen und etwas erweitert, wo ich es für die Küche zu Hause als sinnvoll erachtet habe.

Wir halten die Portionsgrößen im »Uri Buri« recht klein, weil unsere Gäste meistens mehrere Gerichte probieren möchten. Wie du es zu Hause handhaben magst, bleibt dir überlassen. Gerade aber bei kalt servierten Speisen ist es immer schön, wenn viele Teller, Schalen oder Platten auf dem Tisch stehen. Zudem sind kleine Portionen eine punktgenaue Art zu genießen: Bereits die ersten fünf Bissen sind entscheidend, damit hast du schon alles erfahren über Textur, Qualität, Zusammenspiel der Aromen und vieles mehr.

Bei manchen Rezepten ist ein bestimmter Fisch angegeben, weil wir den eben im Restaurant so verwenden. Solltest du genau diesen Fisch bei dir nicht bekommen können, macht das gar nichts – tausche ihn einfach gegen eine andere Sorte aus. Damit du die Optionen besser verstehst, habe ich dir hier im Folgenden die wichtigsten handelsüblichen Fische ganz grob in Familien eingeteilt. Innerhalb der Familie kannst du im Grunde wählen, was du willst:

• barschartige: Wolfs- und Zackenbarsche, Barben, Meeräschen, Barramundi, Schnapper, Brassen, Doraden
• dorschartige: Kabeljau, Dorsch, Schellfisch, Seelachs, Seehecht
• lachsartige: Lachse, Forellen, Saiblinge, Renken, Felchen
• diverse: Thunfisch, Makrelen, Sardinen, Anchovis

Man könnte diese Einteilung natürlich auch wesentlich feiner vornehmen und zwischen Süß- und Salzwasserfischen unterscheiden, doch fürs Erste hast du damit eine gewisse Orientierung.

Vielleicht noch kurz ein Wort zu Fisch und Wein. Viele Menschen glauben, nur Weißwein ginge zu Fisch, was so nicht stimmt. Auf der Haut gebratener oder gegrillter Fisch entwickelt Röstaromen, und da eignen sich auch Rotweine, die nicht zu gerbstoffbetont sind.

So, und nun wünsche ich dir viel Spaß mit den Gerichten aus meiner Küche. Guten Appetit!

»Mit einem geeigneten Messer …«? In der Tat kannst du nicht mit jedem Messer alles gleich gut schneiden. Würdest du hier ein kleines Messer verwenden, hättest du gar keine Führung des Schnitts und würdest eher schnippeln. Mit einem großen Messer mit breiter Klinge hingegen werden die Fischfiletscheiben gleichmäßig und wirklich schön dünn. Muss halt scharf sein, das ist klar.

BRUSCHETTA MIT AUBERGINEN-CREME UND GEBEIZTEM FISCH

FÜR 4 PORTIONEN
ZEIT: 10 MIN.
+ 20 MIN. BEIZEN
+ 20 MIN. RÖSTEN

FÜR DIE CREME
1 Aubergine (ca. 350 g)
2 EL Sonnenblumenöl

FÜR DEN FISCH
2 Filets von weißfleischigem Fisch (ohne Haut, z. B. Rotbarsch, Wolfsbarsch, Makrele, Kabeljau)
100 g grobes Meersalz

AUSSERDEM
1 kleines Baguette
2 EL Olivenöl
1 EL Schwarzkümmelsamen

Für die Creme die Aubergine waschen und auf offenem Feuer, auf dem Grill oder unter dem Backofengrill ca. 20 Min. rösten, bis die Schale von allen Seiten schwarz verbrannt ist. Dabei die Auberginen immer wieder drehen. Geröstete Auberginen kurz abkühlen lassen, dann 90 Prozent der verbrannten Schale entfernen, den Strunk ebenso. Den Rest im Mixer pürieren, dabei das Sonnenblumenöl langsam einfließen lassen.

Für den Fisch die Filets auf Gräten prüfen und diese gegebenenfalls mit einer Fischpinzette entfernen. Auf einer Platte die Hälfte des Meersalzes ausstreuen, die Fischfilets darauflegen. Den Rest des Salzes auf die Filets geben, sodass diese rundherum damit bedeckt sind. Den Fisch 20 Min. beizen, dann gründlich mit kaltem Wasser abbrausen und trocken tupfen. Mit einem geeigneten Messer in hauchdünne Scheiben schneiden.

Das Baguette in 2 cm dicke Scheiben schneiden, diese jeweils mit etwas Olivenöl besprenkeln und in der Pfanne oder auf dem Grill anbräunen. Die Auberginencreme auf die Baguettescheiben streichen und den Fisch darüberlegen. Mit Schwarzkümmel bestreuen und mit ein paar Tropfen Olivenöl abschließen.

MAKRELEN-CEVICHE MIT KAPERN UND ROTEN ZWIEBELN

Ich habe dieses herrliche Rezept ganz bewusst anhand einer einzelnen Portion dargestellt, damit die Mengenverhältnisse deutlich werden. Aber du kannst das natürlich beliebig erweitern, entweder auf einzelnen Tellern oder auf einer größeren Platte. Das ist eine sehr schön leichte, frische Vorspeise, bei der sich die süßliche Schärfe der roten Zwiebel, die Säure des Zitronensafts und der typische Kaperngeschmack wunderbar mit dem Fisch verbinden. Solltest du keine Makrele bekommen, kannst du das Rezept auch mit anderen weißfleischigen Fischen umsetzen, etwa mit Dorado oder Barsch.

FÜR 1 PORTION
ZEIT: 10 MIN.

80 g Makrelenfilet
    (ohne Haut)
Salz
1 kleine rote Zwiebel
1 EL Kapern
Saft von ½ Zitrone
1 TL Olivenöl

Das Makrelenfilet auf Gräten prüfen und diese gegebenenfalls mit einer Fischpinzette entfernen. Das Filet in sehr dünne Scheiben oder auch Streifen schneiden, auf einem großen Teller auslegen und salzen. Die Zwiebel schälen und in dünne Ringe schneiden.

Die Kapern und den Zitronensaft mit einer Gabel in einer Schüssel kräftig aufmixen, bis die Flüssigkeit leicht pastös geworden ist, dann über den Fisch geben. Die Zwiebelringe darauf verteilen und das Makrelen-Ceviche mit dem Olivenöl besprenkeln.

Dieses Fischgericht isst man als Vorspeise mit Brot. Es geht ein wenig in Richtung des deutschen Matjes nach Hausfrauenart – und tatsächlich kannst du auch hier Apfel dazugeben. Oder die Mayonnaise durch saure Sahne oder Schmand ersetzen.

MARINIERTE MAKRELENFILETS

FÜR 4 PORTIONEN
ZEIT: 30 MIN.
+ 24 STD. MARINIEREN

500 g Makrelenfilets
    (ohne Haut)
100 g grobes Meersalz
300 g Zwiebeln
200 g Möhren
700 ml Reisessig
150 g Zucker
4 Lorbeerblätter
5 Wacholderbeeren
2 Kardamomkapseln
500 ml Eiswasser
1 TL Senfkörner
200 g Mayonnaise

Die Makrelenfilets auf Gräten prüfen und diese gegebenenfalls mit einer Fischpinzette entfernen. Die Filets gleichmäßig mit dem Meersalz bestreuen und 20 Min. beizen.

Die Zwiebeln schälen und in dünne Streifen schneiden. Möhren schälen und in dünne Scheiben schneiden. Für die Marinade den Reisessig mit Zucker, Lorbeerblättern, Wacholderbeeren und Kardamomkapseln aufkochen, abkühlen lassen und dann das Eiswasser dazugeben.

Den Fisch unter fließendem kaltem Wasser abbrausen und mit den Zwiebeln und Möhren in einen verschließbaren Behälter schichten. Die Senfkörner darüberstreuen und alles mit der Marinade begießen. Den Behälter verschließen und den Fisch im Kühlschrank 24 Std. marinieren.

Am nächsten Tag die Marinade abgießen. Makrelenfilets, Zwiebeln und Möhren mit der Mayonnaise vermischen und auf Tellern anrichten.

Wird der Hummus zu trocken, legt man ein paar Eiswürfel rein und mischt sie mit unter – sie verdünnen die Masse und machen sie heller. Und du kannst den Geschmack deines Hummus pimpen, wie du es magst: mit Kreuzkümmel, Chiliöl, gehackten Kräutern, …

KLASSISCHER HUMMUS

FÜR 10 PORTIONEN
ZEIT: 5 MIN.
+ 24 STD. EINWEICHEN
+ 1 STD. 30 MIN. KOCHEN
+ 45 MIN. ABKÜHLEN

500 g getrocknete
    Kichererbsen
1 TL Natron
250 g Tahina
1 TL Zucker
1 TL Zitronensäure
Saft von 1 Zitrone
Salz
Olivenöl
Pfeffer

Die Kichererbsen am Vortag in kaltem Wasser einlegen und 24 Std. einweichen. Dann die Kichererbsen in einem Sieb abtropfen lassen, in einen Topf geben und mit frischem Wasser knapp bedecken. Das Natron dazugeben und die Kichererbsen ca. 1 Std. 30 Min. kochen, bis sie weich sind.

20 Prozent der Kichererbsen und etwas Wasser aus dem Topf schöpfen und beiseitestellen. Die restlichen Kichererbsen weiterkochen, bis sie komplett zerfallen und es pampig wird. Die Kichererbsen, nicht du. Aber pampige Kichererbsen soll uns mal einer nachmachen!

Die pampigen Kichererbsen rund 45 Min. abkühlen lassen, dann Tahina, Zucker, Zitronensäure, Zitronensaft und 1 EL Salz dazugeben. Alles kräftig vermischen, falls nötig pürieren.

Zum Anrichten den Hummus in der Mitte eines großen Serviertellers platzieren und kreisförmig verstreichen. Dann einen guten Schluck Olivenöl darüberkippen und mit den zurückbehaltenen Kichererbsen anrichten. Mit Salz und Pfeffer würzen.

Man verkennt noch immer, wie toll junger Blattspinat sich als Salat eignet. Er ist bissfest und doch zugleich zart, er braucht keine besondere Behandlung, sondern nur geschmackliche Begleiter. Und da liegst du mit Zitrusfrüchten immer richtig. Einen coolen Kontrapunkt setzen die getrockneten Früchte mit ihrer intensiven Süße.

FÜR 4 PORTIONEN
ZEIT: 10 MIN.
+ 1 STD. RUHEN

1 EL Honig
1 EL Reisessig
1 EL Orangensaft
1 EL Sonnenblumenöl
Salz
frisch gemahlener
   bunter Pfeffer
200 g junger Blattspinat
60 g gemischte getrocknete
   Früchte (z. B. Äpfel, Rosinen,
   Feigen, Aprikosen)
2 Orangen
½ Knoblauchzehe

SPINATSALAT MIT ORANGEN UND TROCKENFRÜCHTEN

Aus Honig, Reisessig, Orangensaft, Sonnenblumenöl, Salz und buntem Pfeffer ein Dressing anrühren und abschmecken. Das Dressing 1 Stunde ruhen und Aroma annehmen lassen.

Den Spinat putzen, waschen und trocken schleudern, falls nötig etwas kleiner schneiden. Die Trockenfrüchte je nach Größe ganz lassen oder zerkleinern. Die Orangen so schälen, dass auch die weiße Haut mit entfernt wird. Dann mit einem scharfen Messer die Filets aus den Trennhäuten herausschneiden. Den Knoblauch schälen und sehr fein würfeln.

Den Blattspinat mit den Trockenfrüchten, den Orangenfilets und dem Knoblauch in eine Schüssel geben. Das Dressing dazugießen und alles gründlich, aber vorsichtig vermischen.

LACHS-SASHIMI
MIT WASABISORBET

Dies ist eine unserer einfachsten, aber auch beliebtesten Vorspeisen. Und ein Beispiel dafür, dass Frische entscheidend ist, nicht die Anzahl der Zutaten. Weil das Gericht bei uns jeden Tag so oft aus der Küche geht, ist gute Vorbereitung alles: Bereits am Morgen werden die Lachsscheiben in Tellergröße ausgelegt und arrangiert, mit Küchenfolie abgedeckt und übereinandergestapelt gekühlt. Vor dem Servieren kommen dann nur noch die vorbereiteten Portionen auf einen Teller, Sojasauce und Wasabisorbet dazu – zack, fertig!

1 PORTION
ZEIT: 15 MIN.
+ GEFRIEREN IN DER
EISMASCHINE

FÜR DAS WASABISORBET
50 g flüssige Glukose
75 g Zucker
20 g Wasabipulver
2 EL Reisessig

FÜR DAS SASHIMI
80 g Lachsfilet (ohne Haut)
2 EL Sojasauce

Für das Wasabisorbet in einem Topf Glukose, Zucker und 100 ml Wasser unter Rühren erhitzen, dann auskühlen lassen. Mit Wasabipulver, Reisessig und 120 ml Wasser vermischen und anschließend in der Eismaschine zu einem cremigen Sorbet verarbeiten, dabei die Gebrauchsanweisung der Maschine beachten.

Für das Sashimi das Lachsfilet auf Gräten prüfen und diese gegebenenfalls mit einer Fischpinzette entfernen. Das Filet mit einem sehr scharfen Messer in möglichst dünne Scheiben schneiden.

Die Lachsscheiben auf einem Teller anrichten und mit der Sojasauce beträufeln. 1 kleine Kugel Wasabisorbet auf dem Lachs platzieren und das Sashimi sofort servieren. Das übrige Sorbet anderweitig verwenden.

Anstatt der Sharonfrucht (die man übrigens auch Persimon nennt) kannst du auch Khaki verwenden, diese dann allerdings nur, wenn sie wirklich reif ist. Zu jung hat sie einen leicht bitteren Geschmack.

FÜR 5 PORTIONEN
ZEIT: 15 MIN.

5 Rotgarnelen (TK, Wildfang
    aus Argentinien, geschält
    und vom Darm befreit)
Salz
1 große Sharonfrucht
½ Bund Schnittlauch
50 g Sahne
50 g Mascarpone
50 g dunkler Fischrogen
    (z. B. von Capelin oder
    Seehase)
50 g oranger Fischrogen
    (z. B. von Lachs oder
    Forelle)

SHARONFRUCHT MIT GARNELEN UND FISCHROGEN

Die Garnelen noch gefroren der Länge nach in zwei bis drei Scheiben schneiden, auf einem großen Teller nebeneinander flach auslegen und wenig salzen. So die Garnelen auftauen lassen.

Inzwischen die Sharonfrucht waschen, putzen und in ca. 5 mm dicke Scheiben schneiden. Den Schnittlauch abbrausen, trocken schütteln und in Röllchen schneiden. Die Sahne mit 1 Prise Salz steif schlagen. Den Mascarpone glatt rühren und vorsichtig die Sahne unterziehen.

Die Sharonscheiben auf kleine Teller verteilen. Mit dem Löffel jeweils etwas Sahne-Mascarpone-Mischung auftragen, 1 geschnittene Garnele darauf anrichten und den Fischrogen daraufsetzen. Zum Schluss alles mit den Schnittlauchröllchen bestreuen.

BRUSCHETTA MIT FISCH UND PAPRIKA

Das Tolle an Bruschette ist, dass sie dir alle Freiheiten der Welt lassen, du kannst variieren ohne Ende. Statt des Fischfilets etwa nimmst du in Ringe geschnittene Baby-Calamares oder kleine Garnelen. Wenn du Kräuter mit dabei haben willst, bieten sich Thymian, Rosmarin, Oregano oder Basilikum an. Die ersten beiden Kräuter gebe ich persönlich lieber mit in die Pfanne, die letzteren streue ich über die fertigen Bruschette.

Wir haben dieses Rezept im Restaurant zum ersten Mal bei einer Silvesterparty ausprobiert. Den ganzen Abend gab es nur solche Appetizer und natürlich Wein. Das kam bei den Party-gästen unglaublich gut an – kannst du ja selber mal ausprobieren.

FÜR 4 PORTIONEN
ZEIT: 20 MIN.

8 Scheiben Baguette
2 EL Olivenöl
4 getrocknete Tomaten
½ rote Paprika
1 Frühlingszwiebel
1 Knoblauchzehe
80 g Fischfilet (ohne Haut,
	z. B. Makrele, Scholle oder
	Dorade)
Salz | Pfeffer
etwas Limettensaft (nach
	Belieben, ersatzweise
	Zitronensaft)

Den Backofen auf 160° vorheizen. Die Baguettescheiben auf ein Back-blech legen und jeweils mit etwas Olivenöl bepinseln. Im Ofen (Mitte) auf den gewünschten Bräunungsgrad bringen.

Inzwischen die getrockneten Tomaten klein würfeln. (Sind die Tomaten richtig trocken, bitte 1 Std. vor Gebrauch in heißem Wasser einlegen, damit sie weich werden.) Die Paprika putzen, waschen und in dünne Streifen schneiden. Die Frühlingszwiebel putzen, waschen und in feine Ringe schneiden. Den Knoblauch schälen und sehr fein hacken.

Das Fischfilet auf Gräten prüfen und diese gegebenenfalls mit einer Fischpinzette entfernen. Das Filet mit einem wirklich scharfen Messer in möglichst dünne Scheiben schneiden. Am besten gelingt das gegen die Maserung und wenn der Fisch zuvor leicht angefroren wurde.

Das restliche Öl in einer Pfanne erhitzen. Darin getrocknete Tomaten, Paprika und Frühlingszwiebel 1 Min. andünsten. Knoblauch hinzufügen, mit Salz und Pfeffer würzen und alles vermischen.

Die Baguettescheiben aus dem Ofen holen und den Tomaten-Paprika-Mix darauf verteilen, darauf die Fischfiletscheiben arrangieren. Bruschetta sofort servieren! Nach Geschmack mit Limettensaft nachwürzen.

Hier ist mir die Verwendung von Rotgarnelen wirklich wichtig, denn sie sind geschmacklich und in der Textur – im Vergleich zu anderen Garnelen – ausdrucksstark und zugleich zart. Früher wurden diese Garnelen, die fast ausnahmslos aus dem Atlantik Argentiniens kommen, als minderwertig angesehen, weil sie so zart und damit auch empfindlich sind. Wie sich die Zeiten doch ändern! Durch perfekte Gefrierketten von Anfang an kann man sie heute überall auf der Welt genießen.

CARPACCIO AUS ROTGARNELEN

FÜR 4 PORTIONEN
ZEIT: 10 MIN.

200 g Rotgarnelen (TK,
    Wildfang aus Argentinien,
    geschält und vom Darm
    befreit)
Salz
2 kleine Strauchtomaten
    (möglichst mit Stiel)
1 EL grüner Tabasco
Saft von ½ Zitrone
1 Chilischote (rot oder grün)
1 Stängel glatte Petersilie

Die Garnelen noch gefroren der Länge nach in zwei bis drei Scheiben schneiden. Auf kleinen Tellern nebeneinander flach auslegen und vorsichtig, also wenig salzen. So die Garnelen auftauen lassen.

Inzwischen die Strauchtomaten waschen und durch den Stiel halbieren. Den Tabasco und den Zitronensaft verrühren und damit die Chilischote bepinseln. Dann die Schote in dünne Ringe schneiden.

Petersilie abbrausen, trocken schütteln, fein hacken und über die Garnelen streuen. Das Carpaccio mit Tomatenhälften und Chiliringen dekorieren.

LACHS IM PANKOMANTEL

Eingewickelter Fisch hat einen ganz speziellen Reiz, denn er schürt eine Vorfreude, ja sogar eine Art Spannung darauf, was sich im Innern befindet, wenn man ihn aufschneidet. Klar braucht es ein klein wenig Fingerspitzengefühl, doch wenn du in diesem Fall die Hitze nicht auf volle Kanne hochfährst, sondern auf einer Skala von 0 bis 10 auf 8 gehst, wirst du ein herrliches Ergebnis erzielen. Nicht nur der Pankomantel, auch die Nori-Blätter schützen den Lachs vor dem Austrocknen. Wende die Rollen dreimal, sodass sie auf allen Seiten gleich gebräunt sind.

FÜR 4 PORTIONEN
ZEIT: 20 MIN.
+ 2 STD. KÜHLEN

1 Stück Ingwer (2–3 cm lang)
100 ml Sojasauce
100 ml Sud vom eingelegten
    Fenchel (siehe S. 262)
1 EL Pastis
4 Lachsfilets (à 100 g,
    ohne Haut)
4 Nori-Blätter
3 EL Mehl
2 Eier (M)
4 EL Panko (asiat.
    Semmelbrösel)
500 ml Sonnenblumenöl
    zum Ausbacken
1 TL abgeriebene
    Bio-Zitronenschale
1 TL abgeriebene
    Bio-Orangenschale
1 TL Speisestärke

Ingwer schälen, sehr fein würfeln und in einer flachen Schale mit Sojasauce, Fenchelsud und Pastis mischen. Die Lachsfilets einlegen und in der Marinade wenden, 10 Min. ziehen lassen und wieder herausnehmen. Ein wenig Marinade auf die Nori-Blätter pinseln, damit diese etwas weicher werden. Filets in die Blätter einrollen, Blattenden gut zusammendrücken.

Mehl, Eier und Panko jeweils in einen tiefen Teller geben, Eier mit der Gabel kräftig verquirlen. Die Lachsrollen nacheinander in Mehl, Ei und Panko wenden, wie bei einem Schnitzel, dann auf einen flachen Teller setzen und für mind. 2 Std. in den Kühlschrank stellen.

Nun in einer großen Pfanne das Sonnenblumenöl erhitzen. Darin die Fischrollen 4–6 Min. ausbacken, bis sie außen schön knusprig, innen aber noch nicht zu Tode gegart sind. Beiseitestellen.

Die restliche Marinade in einem kleinen Topf erhitzen, die Zitrusschalen einstreuen. Die Speisestärke in 1 EL kaltem Wasser auflösen und unter die Marinade mischen, damit diese zu einer leicht dicklichen Sauce wird. Die Sauce kurz aufkochen, dann vom Herd nehmen.

Zum Servieren auf den Tellern mit der Sauce eine Art Gitter zeichnen. Die Lachsrollen in 5–6 cm dicke Scheiben schneiden und auf den Tellern auffächern. Sehr gut schmeckt dazu der eingelegte Fenchel (siehe S. 262), der noch mit etwas Schwarzkümmelsamen garniert wird.

BLUMENKOHL-TABOULÉ

Karamellisierte Pekannüsse kann man bei uns in Israel fertig kaufen, doch ich habe gemerkt, dass das in Deutschland ganz schön teuer sein kann. Also: selber machen! Dazu nimmst du 50 g Rohrzucker und 50 ml Wasser und gibst beides in eine Pfanne. Bei nicht zu großer Hitze löst du den Zucker auf und wartest unter Rühren, bis der Karamell leicht köchelt. Nun die Pekannüsse hineingeben und ständig weiterrühren, bis das Ganze andickt. Das Wasser verdampft und die Nüsse werden karamellisiert. Aber nur nicht zu heiß werden lassen, sonst brennt dir das Zeug am Ende noch an. Du kannst die Nüsse alternativ auch im 60° heißen Backofen karamellisieren, das dauert aber dann rund zwei Stunden.

FÜR 6 PORTIONEN
ZEIT: 20 MIN.

1 Blumenkohl
2 Bund glatte Petersilie
1 Bund Koriandergrün
1 Bund Minze
1 Bund Frühlingszwiebeln
150 g Cranberrys
150 g karamellisierte
   Pekannüsse
1 TL Salz
Saft von 3 Zitronen
4 EL Olivenöl

Den Blumenkohl waschen, putzen und grob zerkleinern. Dann den Kohl im Standmixer so lange mixen, bis er eine Konsistenz wie Sand oder Couscouskörner hat. Das Taboulé in eine Schüssel geben.

Die Kräuter abbrausen, trocken schütteln und fein hacken. Die Frühlingszwiebeln putzen, waschen und fein schneiden. Beides mit den Cranberrys zum Blumenkohl-Taboulé geben.

Die Pekannüsse hacken. Aus Salz, Zitronensaft und Olivenöl ein Dressing rühren und abschmecken. Das Dressing zum Taboulé geben und alles gut miteinander vermengen. Mit den Pekannüssen garnieren und servieren.

JAKOBSMUSCHELN MIT JERUSALEM-ARTISCHOCKEN-PÜREE

Bei uns im Restaurant servieren wir dieses feine Gericht mit einer Algenpaste (auch im Bild zu sehen), sie heißt Spirulina. Man bekommt sie zwar auch in Deutschland, doch meist nur in Form von gepressten Tabletten. Als passende Alternative für zu Hause empfehle ich dir daher, einfach getrocknete und zerbröselte Nori-Blätter über das Püree zu streuen.

Du wunderst dich vielleicht ein wenig, warum es Jerusalem-Artischocken-Püree heißt, aber gar keine Artischocken drin sind, sondern Topinambur. Päpstliche Gärtner in Rom nannten die Knolle »girasole articiocco« – und daraus wurde im englischen Sprachraum im Laufe der Zeit die Jerusalem-Variante.

FÜR 4 PORTIONEN
ZEIT: 30 MIN.

250 g Topinambur
250 ml Milch
3 EL Butter
Salz
12 Jakobsmuscheln (ausgelöst,
  ohne den orangen Rogen)

Die Topinambur unter fließendem Wasser gründlich waschen und bürsten. Schälen muss man die Knollen nicht, die Schale ist essbar. Topinambur in einen Topf mit Wasser geben und in ca. 15 Min. weich garen. Die Knollen herausnehmen, grob zerkleinern und mit der Milch, 1 EL Butter und etwas Salz zu einem feinen Püree pürieren.

Die Jakobsmuscheln mit Küchenpapier gut abtupfen, sodass sie wirklich trocken sind. In einer großen schweren Pfanne 1 EL Butter schmelzen und darin die Jakobsmuscheln von beiden Seiten kurz, aber scharf anbraten. Sie sollen karamellisiert und daher schön braun aussehen. Herausnehmen und beiseitestellen.

Das Jerusalem-Artischocken-Püree auf die Teller streichen. Die restliche Butter (1 EL) mit ein wenig Salz in der Pfanne schmelzen. Darin die Jakobsmuscheln wenden, dann sofort auf das Püree setzen und servieren.

Das ist ein kleiner, aber feiner Salat, den man nebenher reicht, vielleicht
zu gegrilltem Tintenfisch oder auch zu gebratenem weißem Fischfilet.
Die Zubereitung ist simpel, wichtig ist nur, dass es eine reife Mango ist,
keine unreife, harte, mit der man auch Fensterscheiben einwerfen kann.

MANGOSALAT

FÜR 4 PORTIONEN
ZEIT: 10 MIN.

1 Mango
½ Bund Koriandergrün
Saft von 1 Zitrone
1 EL Sonnenblumenöl
Salz | Pfeffer
1 Handvoll geröstete,
    gesalzene Erdnuss-
    kerne

Die Mango zunächst mit einem Sparschäler schälen. Dann die Frucht
»hochkant« auf das Brett stellen und das Messer oben in der Mitte
ansetzen. Schneidet man jetzt nach unten, stößt man gleich auf den Kern.
Also ½ cm nach rechts rücken und erneut versuchen, die Mango durch-
zuschneiden. So tastet man sich bis zu der Stelle vor, an der der äußere
Rand des Kerns erreicht ist und die Mango sich ganz durchschneiden
lässt. Nun macht man auf der anderen Seite das gleiche.

Beide Mangohälften werden nun in 2 cm große Würfel geschnitten und
in eine Schüssel gegeben. Außerdem kommt noch das Fruchtfleisch mit
hinzu, was vom Kern weggeschnitten werden kann.

Den Koriander abbrausen, trocken schütteln und grob hacken. Mit dem
Zitronensaft, dem Öl, Salz und Pfeffer zu einem Dressing vermischen und
abschmecken. Das Dressing zur Mango geben und alles durchmischen.
Die Erdnüsse grob hacken und über den Salat streuen.

Japanische Mayonnaise unterscheidet sich recht deutlich von der herkömmlichen. Sie besteht aus weniger Öl, mehr Eigelb und mildem, fermentiertem Reisessig anstatt dem aggressiveren Branntweinessig. Man bekommt sie in Asialäden oder auch in gut sortierten Supermärkten. Und natürlich online.

THUNFISCH MIT JAPANISCHER MAYONNAISE UND KOHLRABI

FÜR 4 PORTIONEN
ZEIT: 15 MIN.

1 Stück Ingwer (2 cm lang)
3 EL Sojasauce
2 EL Reisessig
½ EL Zucker
2 Tropfen geröstetes Sesamöl
¼ TL Chilipulver
50 g Kohlrabi
50 g Meerrettich
1 kleine Möhre
1 EL Keimsprossen
    (z. B. Kohlrabi- oder
    Radieschensprossen)
200 g Thunfisch
4 EL japanische Mayonnaise
1 TL schwarzer Sesam

Den Ingwer schälen und in möglichst feine Würfel schneiden. Mit Sojasauce, Reisessig, Zucker, Sesamöl und Chilipulver vermischen (am besten schon am Vortag, dann zieht es besser durch).

Den Kohlrabi, den Meerrettich und die Möhre schälen und in hauchdünne Streifen schneiden. Die Sprossen abbrausen und trocken schütteln.

Den Thunfisch in sehr dünne Scheiben schneiden und diese durch die Marinade ziehen. Die Thunfischscheiben auf Tellern anrichten und mit der japanischen Mayonnaise garnieren (diese jeweils als kleinen Klecks daraufsetzen oder in feinen Linien aufspritzen).

Kohlrabi, Meerrettich und Möhre in die übrige Marinade geben, durchmischen. Jeweils ein Häufchen des Salats in die Mitte jedes Tellers setzen. Mit den Sprossen und dem schwarzen Sesam dekorieren.

Das ist ein toller, herrlich erfrischender Sommersalat, der vom Aussehen her fast schon einem Taboulé ähnelt, diesem orientalischen Petersiliensalat. Aber hier hast du eine Mischung aus Kräutern, Gemüse und dazu noch einen kernigen und fruchtigen Aspekt.

FÜR 4 PORTIONEN
ZEIT: 15 MIN.

250 g Rucola
1 Bund glatte Petersilie
1 Bund Minze
½ rote Paprika
1 Kohlrabi
1 Möhre
1 Salatgurke
100 g Pistazienkerne
Salz
150 g getrocknete Cranberrys
3 EL Olivenöl
Saft von 1 Zitrone

RUCOLASALAT MIT KOHLRABI UND MÖHREN

Den Rucola waschen und trocken schleudern, dicke Stängel abzwicken. Petersilie und Minze abbrausen und trocken schütteln, die Blättchen abzupfen. Rucola klein schneiden, Petersilie und Minze fein hacken.

Paprika putzen und waschen, Kohlrabi, Möhre und Gurke schälen. Das Gemüse in kleine Würfel schneiden. Die Pistazienkerne grob hacken und in einer kleinen Pfanne leicht anrösten, dabei minimal salzen.

Alle vorbereiteten Zutaten mit den Cranberrys, Olivenöl und Zitronensaft in eine Schüssel geben und vermischen. Den Salat mit Salz abschmecken, bei Bedarf mit Öl und Zitronensaft justieren.

Auf diese Weise zubereitete Sardellen sind ein feiner kleiner Snack für zwischendurch, entweder pur oder auf einem Butterbrot. Sie machen sich aber auch sehr gut auf einem Fisch- und Seafood-Büfett. In feine Streifen geschnitten, eignen sie sich sogar als Zusatz auf einer Pizza – sie sind dann eben nicht ganz so salzig wie die kleinen Sardellen, die man in Salzlake eingelegt in kleinen Gläsern kaufen kann.

FÜR DEN VORRAT ODER EINE GROSSE RUNDE
ZEIT: 10 MIN.
+ 1 STD. 30 MIN. MARINIEREN

70 g grobes Meersalz
1 kg Sardellen (küchenfertig)
Olivenöl

FRISCHE SARDELLEN IN SALZWASSER

Das Meersalz in 1 Tasse heißem Wasser auflösen und dann in 1 l kaltes Wasser geben. Das Wasser sollte nun wieder komplett abkühlen, sonst gart es später die Sardellen.

Jetzt die küchenfertigen Sardellen zum Salzwasser geben. Küchenfertig heißt in diesem Fall, dass die Sardellen filetiert, entgrätet und enthäutet sind. Die Filets ca. 1 Std. 30 Min. in dem Salzwasser marinieren.

Dann die Sardellenfilets aus dem Salzwasser nehmen (nicht waschen!) und in eine Schüssel mit Deckel geben. Sardellen mit Olivenöl bedecken und verschlossen im Kühlschrank aufbewahren. Haltbarkeit: ca. 4 Wochen.

Probiert man nur die frisch getrocknete Wassermelone, bekommt man leicht eine vollkommen falsche Idee zu diesem kleinen Snack, weil sie sich eher zäh gibt. Erst durch das Bestreichen mit Feta und Labaneh weicht die Melone wieder etwas auf, behält aber eine im Mund sehr angenehme Konsistenz. Ich glaube nicht, dass es viele Restaurants gibt, die etwas Vergleichbares anbieten.

WASSERMELONE MIT LABANEH

FÜR 20 PORTIONEN
ZEIT: 15 MIN.
+ 12 STD. TROCKNEN

1 kleine Wassermelone (ca. 2 kg, möglichst ohne Kerne)
100 g Labaneh (siehe S. 268)
100 g Schafskäse (Feta)
50 g Kalamata-Oliven
5 Basilikumblätter
3 EL Olivenöl
2 EL Sherryessig

Die Wassermelone waschen und in ca. 2 cm dicke Scheiben schneiden. Von diesen die Schale so entfernen, dass auch der hellere Teil am Rand abgeschnitten ist. Falls hier und da Kerne auftauchen, diese entfernen.

Die Melonenscheiben nebeneinander auf Ofenroste legen und im Backofen bei ca. 50° (Umluft!) 12 Std. trocknen. Die Melonenscheiben werden dadurch wie dünnes Leder und leicht hart. Dann die Melone aus dem Ofen nehmen und kurz abkühlen lassen.

Labaneh und Feta in eine Schüssel krümeln und vermischen, bis eine streichbare Creme entsteht. Das Fleisch der Oliven von den Kernen schneiden und klein hacken. Die Basilikumblätter in feine Streifen schneiden. Das Olivenöl mit dem Sherryessig mischen.

Die Melonenscheiben jeweils mit einer dünnen Schicht Labaneh-Feta-Creme bestreichen und mit den Oliven bestreuen. Die Scheiben aufrollen und in ca. 5 cm lange Stücke schneiden.

Die gerollten Wassermelonenstücke auf kleine Teller verteilen und mit dem Dressing beträufeln. Das Basilikum darüberstreuen.

Die Suppe schmeckt auch nur mit den gekochten Pilzen als Basis sehr gut, doch erst die getrockneten Steinpilze geben ihr die besondere Finesse. Wo immer etwas getrocknet, also das Wasser entzogen wurde, konzentrieren sich die Aromen und treten wesentlich stärken hervor. In Japan nennt man das Umami, was inzwischen auch bei uns als der »fünfte Geschmack« gilt. Daher braucht man auch nicht viel davon, um ein Gericht zu intensivieren.

PILZCREMESUPPE

FÜR 8 PORTIONEN
ZEIT: 10 MIN.
+ 3 STD. KOCHEN

500 g Austernpilze (auch fein:
    Portobello Pilze oder beide
    Pilzsorten gemischt)
300 g Crème fraîche
20 g getrocknete Steinpilze
Salz
50 g Sahne
Pfeffer
Trüffelöl (nach Belieben)

Die Pilze putzen, in grobe Stücke schneiden und in einem Topf mit ausreichend Wasser aufkochen. Die Pilze ca. 3 Std. köcheln lassen, dabei öfters mal nachsehen, ob noch genügend Flüssigkeit vorhanden ist. Im Zweifelsfall etwas Wasser nachgießen.

Dann die Pilze in ein Sieb abgießen und abtropfen lassen. Nun die Pilze noch ausdrücken und die dabei ablaufende Flüssigkeit in einem Topf auffangen. Es dürften ca. 500 ml Pilzwasser entstehen. Die Crème fraîche einrühren und die getrockneten Steinpilze dazugeben. Die Suppe leicht salzen und erhitzen, bis sie zu kochen beginnt.

Die Sahne steif schlagen. Die Pilzcremesuppe in Gläser oder Tassen füllen und jeweils 1 kleinen Klecks Sahne daraufsetzen. Zum Schluss noch mit etwas Pfeffer bestreuen. Wer mag, kann die Suppe außerdem mit einem Hauch Trüffelöl (1 Tropfen pro Portion) veredeln.

FISCH- ODER SEAFOODSUPPE

Das klingt jetzt vielleicht etwas unverbindlich, doch es funktioniert tatsächlich genau so. Nimm, was du bekommst, gerade da hast oder auch weg muss. Ideal sind weißfleischiger Fisch, Garnelen und Calamares – aber auch alles, was dich sonst anmacht. Im Restaurant verwerten wir auf diese Weise viel von den Abschnitten, die beim Filetieren der Fische anfallen und zum Wegwerfen zu schade sind. Eine klasse Resteverwertung also.

FÜR 4 PORTIONEN
ZEIT: 20 MIN.

1 Stück Ingwer (3–4 cm lang)
Zesten von 1 Bio-Zitrone
500 g Kokosmilch
2 EL Fischsauce
1 TL rote Thai-Currypaste
250 g Fisch oder Meeresfrüchte
    (siehe oben, küchenfertig)
2 Basilikumblätter
6 Korianderblätter
1 TL Speisestärke

Den Ingwer schälen und in feine Scheibchen schneiden. Die Zitronenzesten sehr fein hacken. Beides mit Kokosmilch, 500 ml Wasser, Fischsauce und Currypaste in einem Topf zum Kochen bringen.

Inzwischen den Fisch oder die Meeresfrüchte in kleine Würfel schneiden. Die Basilikum- und Korianderblätter in Streifen schneiden.

Die Stärke in 2 EL kaltem Wasser auflösen und unter die Suppe rühren, diese nochmals aufkochen lassen. Dann den Fisch oder die Meeresfrüchte einlegen und nur kurz mitgaren lassen. Die Suppe auf Teller verteilen und mit den Kräutern garnieren.

Roux hört sich klasse französisch an – doch im Grunde ist es nur eine traditionelle Mehlschwitze. Damit bindest du anfänglich dünne Flüssigkeiten, wie auch diese Suppe, und machst sie cremiger. Gerne kannst du Spargelsuppe auch noch verfeinern, indem du etwa am Ende etwas geschlagene Sahne dazu gibst oder mit Kräutern wie Dill einen bewussten Punkt setzt.

FÜR 4 PORTIONEN
ZEIT: 15 MIN.

500 g grüner Spargel
    (am besten möglichst
    dünne Stangen)
1 l Hühnerbrühe
30 g Butter
30 g Mehl
Salz

GRÜNE SPARGELSUPPE MIT HÜHNERROUX

Den Spargel waschen und die Stangenenden abschneiden. Sind die Spargelstangen richtig dünn, muss man sie nicht einmal schälen.

Das oberste Drittel jeder Spargelstange abschneiden und in drei Teile schneiden, beiseitestellen. Den Rest des Spargels in dünne Scheiben schneiden und mit etwas Wasser pürieren. Die Hühnerbrühe erhitzen.

Die Butter in einem Topf schmelzen, das Mehl unter Rühren dazugeben. Ist das Mehl schön verteilt, ein wenig Brühe angießen und dabei langsam weiterrühren, damit es keine Klumpen gibt. Jetzt die übrige Hühnerbrühe und das Spargelpüree dazugeben.

Die Spargelsuppe 4–5 Min. köcheln lassen, mit Salz abschmecken. In der letzten Minute die beiseitegelegten Spargelstücke in die Suppe einlegen und mitgaren, so haben sie beim Servieren noch Biss.

Wenn gerade nicht die richtige Zeit für frische Maiskolben ist, kannst du die Suppe auch mit Dosenmais zubereiten. Dann verkürzt sich die Garzeit erheblich, weil der Mais dann schon vorgegart ist.

SÜSSE MAISSUPPE

FÜR 4 PORTIONEN
ZEIT: 5 MIN.
+ 20 MIN. KOCHEN

3 Maiskolben (à ca. 450 g)
1 l Milch
1 EL frisch geriebener
   Parmesan
½ EL Salz
1 EL Butter
frisch gemahlener
   roter Pfeffer

Den Mais waschen und die Körner mit einem großen Messer von den Kolben herunterschneiden. Was mit dem Messer nicht abgeht, mit einer Reibe abreiben. Es sollten auf jeden Fall 400 g Maiskörner sein.

Restliche Zutaten in einem Topf aufkochen. Die Maiskörner dazugeben und die Suppe 20 Min. bei kleiner Hitze köcheln lassen. (Wer mag, nimmt ein paar Maiskörner ab und streut sie später als Deko auf die Suppe.)

Die Maissuppe entweder mit dem Stabmixer im Topf oder in einem Standmixer fein pürieren. Anschließend die Suppe noch durch ein feines Sieb streichen, zurück in den Topf geben und wieder schön heiß werden lassen. Die süße Maissuppe auf Teller verteilen und servieren.

Falafel findest du in Israel (und in New York!) an fast jeder Ecke. Meist werden sie im Pitabrot gereicht, mal scharf, mal mild. Fein schmecken sie auch mit Tahina, Tomaten, Peperoni und eingelegtem Knoblauch. Beim Formen hilft ein spezieller Stempel. Wenn du den nicht hast, nimm zwei Löffel oder einfach die Hände und stelle so die Falafel-Bällchen her.

FALAFEL

FÜR 4 PORTIONEN
ZEIT: 35 MIN.
+ 1 TAG EINWEICHEN
+ 1 STD. RUHEN

500 g getrocknete Kichererbsen
7 Knoblauchzehen
1 große Zwiebel
1 Chilischote (rot oder grün)
3 Stängel Koriandergrün
3 Stängel glatte Petersilie
1 EL Kreuzkümmelsamen
½ EL Korianderkörner
1 EL Salz
1 EL Natron
1 EL Sesamöl
1 l Sonnenblumenöl
   zum Frittieren

Die Kichererbsen am Vortag in kaltes Wasser einlegen und 24 Std. einweichen. Dann die Kichererbsen in ein Sieb abgießen, mit kaltem Wasser abbrausen und abtropfen lassen. Den Knoblauch und die Zwiebel schälen, Chili waschen und putzen, alles grob hacken. Die Kräuter abbrausen, trocken schütteln und ebenfalls grob hacken.

Die Hälfte der Kichererbsen in einer Küchenmaschine grob mahlen. Die andere Hälfte mit Knoblauch, Zwiebel, Chili, Kräutern, Gewürzen, Salz, Natron und Sesamöl in einem Standmixer sehr fein pürieren. Alles in eine Schüssel geben und 40 ml Wasser untermischen, bis eine cremig-feuchte Masse entstanden ist. Fühlt sich die Masse zu trocken an, ruhig noch etwas Wasser hinzufügen. Die Kichererbsenmasse 1 Std. ruhen lassen.

Dann das Sonnenblumenöl in einem nicht zu großen, dafür eher hohen Topf sehr stark erhitzen. Die Falafel mit einem speziellen Werkzeug, dem Falafel-Stempel, formen und anschließend portionsweise im heißen Öl in ca. 3 Min. knusprig frittieren. Mit dem Schaumlöffel aus dem Öl holen und auf Küchenpapier entfetten.

Shakshuka ist ein absolut gängiges Frühstücksgericht, aber es gibt auch sehr viele Varianten. Manche sind dabei mit wesentlich mehr Gewürzen versehen als meines, doch ich liebe es eher puristisch. Zubereitet wird Shakshuka eigentlich in einer großen Pfanne, im Restaurant nehme ich aber gerne kleine Portionspfannen, die dann auf den Tisch kommen.

FÜR 4 PORTIONEN
ZEIT: 25 MIN.

6 große Tomaten
2 rote Paprika
3 Chilischoten (rot oder grün)
6 Knoblauchzehen
1 kleine Zwiebel
2 EL Sonnenblumenöl
Salz
Zucker
8 Eier (M)
gehacktes Koriandergrün
    zum Dekorieren

SHAKSHUKA

Tomaten, Paprika und Chilis waschen und über dem offenen Feuer (oder unter dem Backofengrill) von allen Seiten so »abflammen«, dass sie sich gut schälen lassen und einen leicht rauchigen Geschmack annehmen. Knoblauch und Zwiebel ebenfalls schälen und sehr fein hacken.

Das Öl in einer weiten Pfanne erhitzen. Darin das ganze Gemüse sowie Knoblauch und Zwiebel so lange bei kleiner Hitze köcheln lassen, bis alles eindickt und »sich einigt«. Bei Bedarf mit Salz und Zucker abschmecken.

Mit einem Löffel 8 Mulden in das Gemüseragout drücken. Nach und nach die Eier aufschlagen und in die Mulden füllen. Die Pfanne mit dem Deckel verschließen und warten, bis die Eier gestockt sind. Das dauert ca. 5 Min. Shakshuka salzen und mit dem Koriandergrün dekorieren – fertig!

Auf diese Art machen wir jeden Tag das Beilagengemüse fürs »Uri Buri«. Du kannst sowohl die Gemüse als auch die Kräuter nach Herzenslust, Saison oder Vorliebe austauschen. Wenn du allerdings intensive Kräuter wie Salbei verwendest, sei hier etwas sparsamer, sonst überlagert das womöglich den Geschmack der Gemüse.

FÜR 15 PORTIONEN
ZEIT: 20 MIN.
+ 30 MIN. GAREN

3 Süßkartoffeln
5 rote Zwiebeln
1 Blumenkohl
1 Brokkoli
400 g grüne Bohnen
Salz
1 kleines Bund Thymian
Olivenöl
Pfeffer

BEILAGENGEMÜSE AUS DEM OFEN

Den Backofen auf 200° vorheizen. Die Süßkartoffeln und die Zwiebeln schälen und in grobe Stücke oder dicke Spalten schneiden. Den Blumenkohl und Brokkoli waschen, putzen und in Röschen teilen. Die Bohnen waschen, putzen und für 1 Min. in kochendem Salzwasser blanchieren, in ein Sieb abgießen und kalt abschrecken.

Jedes Gemüse separat in eine hitzebeständige Form legen, da die Garzeiten unterschiedlich sind. Den Thymian abbrausen und trocken schütteln, die Blättchen von den Zweigen streifen. Die Gemüse mit Olivenöl, Salz, Pfeffer und dem Thymian würzen, gut vermischen.

Die Formen in den Backofen stellen. Nach 10 Min. die Temperatur auf 180° herunterdrehen und nun alle 5 Min. überprüfen, ob schon etwas fertig ist. Gares Gemüse aus dem Ofen nehmen.

MAJADARAREIS MIT MANGOLDGEMÜSE

Ich habe dieses traditionelle arabische Reisrezept ganz bewusst reduziert gehalten. Es gibt etliche Versionen, in denen mit vielen Gewürzen gearbeitet wird. Es kommt aber immer darauf an, wie du den Reis einsetzen möchtest. Als einzelnes Hauptgericht darf er ruhig angereichert sein, als Nebendarsteller sollte er begleiten und sich nicht in den Vordergrund drängen. Wir servieren Majadarareis im Restaurant beispielsweise mit Tahina, gedämpftem Spinat und karamellisierten Zwiebeln. Oder wie hier mit Mangoldgemüse.

FÜR 4 PORTIONEN
ZEIT: 25 MIN.
+ 6 STD. EINWEICHEN
+ 40 MIN. GAREN

120 g grüne Linsen
2 große Zwiebeln
3 EL Olivenöl
Salz
250 g Jasmin-Reis
300 g Mangold
Pfeffer

Die grünen Linsen in einer Schüssel mit kaltem Wasser bedecken und 6 Std. einweichen, dann in ein Sieb abgießen.

Die Zwiebeln schälen und in kleine Würfel schneiden. In einer Pfanne 2 EL Olivenöl erhitzen. Darin die Zwiebeln bei mittlerer Hitze so anrösten, dass sie nach 3–4 Min. schön braun sind. Die Zwiebeln ohne das Öl aus der Pfanne heben und in einen Topf umfüllen. ½ l Wasser, 1 TL Salz und die Linsen dazugeben und alles zum Kochen bringen.

Den Reis in die Pfanne geben und im verbliebenen Öl anbraten. Hat der Reis ein wenig Farbe bekommen (er darf nicht anbrennen!), zum Zwiebel-Linsen-Wasser geben und kurz aufkochen. Nun die Hitze auf ein Minimum reduzieren, den Deckel auflegen und den Reis 18–20 Min. dämpfen. Den Topf vom Herd ziehen und den Reis noch weitere 20 Min. ziehen lassen.

Den Mangold putzen, waschen und in dünne Streifen schneiden. Die Pfanne auswischen und das übrige Öl (1 EL) darin erhitzen. Den Mangold dazugeben und kurz anbraten. Die Hitze reduzieren und das Gemüse in 5 Min. weich ziehen lassen. Mit Salz und Pfeffer würzen.

Den Majadarareis und das Mangoldgemüse auf Tellern anrichten. Wer mag, gibt noch etwas Joghurt und einen Klecks pürierte, eingelegte Zitronen (siehe S. 264) mit auf den Teller. Das schmeckt sehr fein dazu.

Du kannst mit Salz und Pfeffer würzen, wirst aber merken, dass das hier gar nicht nötig ist. Säure, Cremigkeit und Schärfe geben den Takt an. Ich mag den Blumenkohl noch mit ordentlich Biss – ist er zu weich gegart, schmeckt er langweilig. Da brauchst du dann auch keine Zähne.

BLUMENKOHL IN SCHARFER KOKOSSAUCE

FÜR 4 PORTIONEN
ZEIT: 35 MIN.

1 Blumenkohl (ca. 1 g)
1 EL Sonnenblumenöl
1 grüner Apfel (z. B. Granny Smith)
400 g Kokosmilch
2 EL Peperonipüree (siehe S. 260)
½ Bund Schnittlauch
300 g gelber Reis (siehe S. 270)

Den Blumenkohl waschen, putzen und in mundgerechte Röschen teilen. In einem schweren Topf das Öl erhitzen und darin den Blumenkohl scharf anbraten. Währenddessen den Apfel waschen oder schälen, vierteln, entkernen und in grobe Stücke schneiden.

Die Kokosmilch mit dem Peperonipüree vermischen und zum Blumenkohl geben. Den Blumenkohl bei kleiner Hitze ca. 10 Min. köcheln lassen, bis er gar ist, aber noch Biss hat, und die Sauce langsam eindickt. Kurz bevor der Blumenkohl bissfest ist, den Apfel dazugeben und 2 Min. mitgaren. Den Schnittlauch abbrausen, trocken schütteln und in Röllchen schneiden.

Den Blumenkohl und den Apfel aus dem Topf heben und auf Tellern anrichten. Den Reis in den Topf geben, mit der Sauce vermischen und über dem Blumenkohl verteilen, den Schnittlauch darüberstreuen.

SCHWARZE REISNUDELN MIT ARTISCHOCKEN

Dieses Gericht ist seit Jahren eines der beliebtesten auf unserer Speisekarte, erst recht seit wir es in Kombination mit schwarzen Reisnudeln anbieten. Die alleine sind optisch schon ein echter Hingucker. Man bekommt sie im Asialaden oder sehr gut sortierten Supermarkt.

FÜR 2 PORTIONEN
ZEIT: 10 MIN.

200 g schwarze Reisnudeln
4 eingelegte Artischocken-
    herzen
2 Zweige Thymian
¼ Bund Schnittlauch
2 Bio-Zitronen
2 EL Butter
2 EL Fischsauce
½ EL Reisessig
½ TL Kurkuma

Die Reisnudeln in ausreichend Wasser 4 Min. kochen, dann in ein Sieb abgießen und in eine Schüssel mit eiskaltem Wasser geben.

Die Artischockenherzen vierteln oder achteln. Den Thymian und den Schnittlauch abbrausen und trocken schütteln. Thymianblättchen von den Zweigen streifen, Schnittlauch in Röllchen schneiden. Die Zitronen heiß waschen und halbieren. 1 Zitronenhälfte in dünne Scheiben schneiden und diese jeweils vierteln, aus den übrigen Hälften den Saft auspressen.

In der Pfanne die Butter bei kleiner Hitze schmelzen. Zitronensaft, Fisch-sauce, Reisessig, Kurkuma und den Thymian dazugeben. Alles kurz sanft köcheln lassen, damit sich die Zutaten verbinden. Dann die Artischocken und die Zitronenstücke in die Pfanne geben und 1 Min. garen.

Die Reisnudeln in ein Sieb abgießen, abtropfen lassen und auf Teller verteilen. Den Artischocken-Zitronen-Mix daraufgeben und alles mit dem Schnittlauch bestreuen. Sofort servieren!

GNOCCHI MIT PILZEN

Obwohl Gnocchi natürlich eine italienische Spezialität sind, haben wir sie in unsere Küche mit eingebaut – denn sie sind einfach lecker und mit der Pilzsauce schlichtweg unwiderstehlich. Wenn du Gnocchi übrig hast oder als Vorrat gleich mehr machen möchtest, kannst du sie im Kühlschrank problemlos zwei Tage aufbewahren. Auch Einfrieren geht, dann aber solltest du sie auf einem Teller flach ausgelegt für eine Stunde anfrieren, sonst kleben sie dir später zusammen. Anschließend füllst du sie in einen Beutel oder eine verschließbare Schüssel.

FÜR 4 PORTIONEN
ZEIT: 45 MIN.
+ 1 STD. BACKEN

FÜR DIE GNOCCHI
2 kg grobes Meersalz
400 g mehligkochende
    Kartoffeln
100 g Mehl
1 Ei (M)
Salz
Mehl zum Arbeiten

FÜR DIE PILZE
1 EL getrocknete Steinpilze
50 g Sahne
300 g Champignons
2 Frühlingszwiebeln
2 EL Butter
1 EL geriebener Parmesan
1 TL frisch gemahlener
    bunter Pfeffer
Salz

Für die Gnocchi den Backofen auf 220° vorheizen. Das Meersalz auf dem Backblech verteilen (mind. ½ cm dick). Die Kartoffeln waschen und nebeneinander in das Salz setzen. Im Ofen (Mitte) 1 Std. backen, bis sie außen trocken und hart, innen aber weich sind.

Die Kartoffeln aus dem Salz nehmen, halbieren und ein wenig abkühlen lassen. Dann das Innere aus den Schalen löffeln und mit einem Kartoffelstampfer zerkleinern. Mit Mehl, Ei und 1 TL Salz rasch zu einem Teig verkneten. Den Kartoffelteig zu Rollen (max. 2 cm Ø) formen und diese dann in 2 cm lange Stücke schneiden.

In einem Topf reichlich Wasser aufkochen und salzen, die Gnocchi einlegen. Sobald sie oben schwimmen, sind sie fertig. Mit dem Schaumlöffel herausschöpfen und auf einem Geschirrtuch abtrocknen lassen.

Für die Pilze die getrockneten Steinpilze in die Sahne legen und kurz einweichen. Die Champignons putzen und in Scheiben schneiden. Die Frühlingszwiebeln waschen, putzen und in feine Ringe schneiden.

Die Butter in einer schweren Pfanne schmelzen und darin die Gnocchi goldbraun anschwenken. Pilzsahne, Champignons, Parmesan, bunten Pfeffer und Salz dazugeben und alles ca. 3 Min. köcheln lassen. Zuletzt noch die Frühlingszwiebeln dazugeben.

Den Grad der Süße der karamellisierten Zwiebeln kannst du über die Zugabe des Zuckers selbst bestimmen. Es geht auch ganz ohne Zucker, wenn du die Zwiebeln über noch längere Zeit, sagen wir 40 Minuten, auf richtig kleiner Flamme schmoren lässt. Die natürliche Süße der Zwiebeln wird mit jeder Minute intensiver.

FÜR 4 PORTIONEN
ZEIT: 20 MIN.

2 Knoblauchzehen
Salz
Saft von 1 großen Zitrone
250 g Tahina
500 g Blattspinat
Pfeffer
2 große Zwiebeln
2 EL Olivenöl
2 EL brauner Zucker

TAHINA MIT SPINAT UND KARAMELLISIERTEN ZWIEBELN

Den Knoblauch schälen und sehr fein hacken. Mit ½ EL Salz, Zitronensaft und der Tahina in eine Schüssel geben, alles gut durchmischen. Dann noch so viel Wasser unterrühren, bis eine cremige Konsistenz entsteht.

Den Spinat verlesen, putzen und gründlich waschen. Den Spinat tropfnass in einen großen Topf geben und bei großer Hitze und aufgelegtem Deckel in ca. 3 Min. in sich zusammenfallen lassen. In ein Sieb abgießen und mit Pfeffer und Salz würzen.

Die Zwiebeln schälen und in Ringe, Streifen oder Würfel schneiden, je nach Lust und Laune. In einer großen Pfanne das Olivenöl erhitzen und darin die Zwiebeln bei kleiner bis mittlerer Hitze anbraten. Nach 2 Min. den Zucker dazugeben und in 15 Min. die Zwiebeln schön anbräunen, dabei immer wieder umrühren.

Die Tahina auf Teller verteilen und etwas verstreichen, sodass es einen Spiegel ergibt. Darauf den Spinat und die Zwiebeln anrichten. Was fürs Auge: Wer möchte, kann noch halbierte Kirschtomaten als Garnitur daraufsetzen. Dazu schmeckt Majadarareis (siehe S. 168) sehr gut.

Dazu kann man einen Joghurtdip reichen, in den man die gefüllten Weinblätter eintunkt. Einfach Joghurt mit etwas Zitronensaft, Salz und fein gehackter Minze verrühren. Übrigens schmecken die Weinblätter nicht nur warm, sondern auch kalt sehr gut.

GEFÜLLTE WEINBLÄTTER MIT LAMM UND ZWIEBELN

FÜR EINE GROSSE RUNDE
ZEIT: 30 MIN.
+ 1 STD. 30 MIN. GAREN

500 g eingelegte Weinblätter
500 g Rundkornreis
300 g Rinderhackfleisch
1 EL Baharat (arab.
   Gewürzmischung)
Pfeffer
5 EL Sonnenblumenöl
Salz
1,3 kg Lammfleisch
   (aus dem Nacken)
2 Zwiebeln
2 Tomaten
Saft von 1 ½ Zitronen

Die Weinblätter kurz in kochendem Wasser blanchieren, mit einem Schaumlöffel herausheben und kalt abschrecken.

Den Reis dreimal gründlich waschen, dabei immer wieder in einem Sieb abtropfen lassen. Den Reis mit Hackfleisch, Baharat, Pfeffer, 2 EL Öl und 1 EL Salz vermengen. Auf der Arbeitsfläche 1 Weinblatt auslegen und etwas Reisfüllung darauf verteilen. Das Weinblatt von unten her zu einer kleinen »Zigarre« aufrollen, dabei die Seiten des Weinblatts einschlagen. So fortfahren, bis alle Weinblätter und die Füllung aufgebraucht sind.

Das Lammfleisch in ca. 3 cm große Würfel schneiden. 1 EL Öl in einer Pfanne erhitzen und darin das Fleisch anbraten. Dann das Fleisch gleichmäßig auf dem Boden eines Topfes verteilen, darüber die gefüllten Weinblätter schichten. Zwiebeln schälen und in Ringe schneiden, Tomaten waschen und in Scheiben schneiden, beides über die Weinblätter legen.

Zwiebeln, Tomaten, gefüllte Weinblätter und Fleisch mit einem Teller von oben beschweren. 3–4 EL heißes Wasser, Salz und das restliche Öl (2 EL) dazugeben und den Topf mit dem Deckel gut verschließen. Alles bei kleiner Hitze 1 Std. 30 Min. garen, am Ende mit Zitronensaft beträufeln.

FISCHKÜCHLEIN MIT PANKO

Ich mache diese Buletten (nichts anderes sind sie ja) am liebsten mit Makrelen, weil die günstig und schmackhaft sind und dazu noch ein recht festes Fleisch haben. Viele andere Fische schmecken aber auch sehr fein, nur Thunfisch und Sardinen eignen sich dafür nicht. Bei der Zubereitung kann man ein paar Kalorien sparen, indem man die Küchlein nicht brät, sondern grillt oder dämpft. Man kann sie sogar roh essen, wenn die Makrelen superfrisch sind. Meine erste Wahl als Beilage sind übrigens die guten, deutschen Bratkartoffeln. Als Garnitur geht alles, was hübsch aussieht und geschmacklich passt.

FÜR 4 PORTIONEN
ZEIT: 20 MIN.

800 g Makrelenfilets
   (ohne Haut)
1 große Zwiebel
1 Knoblauchzehe
1 Bund glatte Petersilie
1 Bund Koriandergrün
5 eingelegte Sardellenfilets
250 g Panko (asiat.
   Semmelbrösel)
2 TL Chiliöl
Olivenöl zum Braten

Die Makrelenfilets auf Gräten prüfen und diese gegebenenfalls mit einer Fischpinzette entfernen. Die Filets mit einem großen Messer fein hacken. Die Zwiebel und den Knoblauch schälen und fein würfeln. Petersilie und Koriandergrün abbrausen, trocken schütteln und ebenfalls fein hacken. Die Sardellenfilets mit der breiten Seite des Messers zerdrücken.

Mit den Händen alle Zutaten, auch Panko und Chiliöl, gut vermischen. (Wem das nicht schnell genug geht, überlässt alles der Küchenmaschine.) Aus der Masse kleine Küchlein (ca. 3 cm dick) formen, bis die Küchlein-landschaft bis zum Horizont reicht.

In einer großen Pfanne das Olivenöl erhitzen. Darin die Fischküchlein bei mittlerer Hitze pro Seite 3–4 Min. braten, sodass sie am Ende außen knusprig braun, innen aber noch schön saftig sind.

Ein Gericht, das überhaupt nicht viel Begleitung braucht. Die Zitronenbutter ist so dermaßen einfach und lecker, du wirst, sollte nach dem Fisch noch etwas davon übrig sein, entweder zu einem Löffel oder noch besser zu einem knusprigen Weißbrot greifen wollen. Nur nichts davon verkommen lassen …

FÜR 2 PORTIONEN
ZEIT: 15 MIN.

450 g Barramundi-Filets
3 EL Zitronensaft
1 EL Olivenöl
200 g weiche Butter
5 Salbeiblätter
1 ½ EL Sonnenblumenöl
Salz
1 EL frisch gemahlener
    bunter Pfeffer
grobes Meersalz
1 Eigelb (M)

BARRAMUNDI IN ZITRONENBUTTERSAUCE

Den Grill des Backofens vorheizen. Die Barramundi-Filets auf Gräten prüfen und diese gegebenenfalls mit einer Fischpinzette entfernen.

2 EL Zitronensaft und das Olivenöl in eine kleine Schüssel geben. Beides kräftig verrühren, sodass sich eine Emulsion ergibt. Die Butter in einer Rührschüssel mit den Rührbesen des Handrührgeräts oder der Küchenmaschine so lange schlagen, bis sich das Volumen nahezu verdoppelt hat.

Die Salbeiblätter hacken und in ½ EL Sonnenblumenöl leicht anbraten. Mit der Zitronenemulsion und der Butter verrühren, mit Salz und dem bunten Pfeffer würzen. Das Eigelb verrühren und unter die Zitronenbutter ziehen. Mit übrigem Zitronensaft (1 EL) abschmecken.

Übriges Sonnenblumenöl (1 EL) in einer Pfanne (ofenfest!) erhitzen, etwas grobes Meersalz hineinstreuen und darin die Fischfilets mit der Haut nach unten scharf anbraten, bis diese schön knusprig ist. Salzen, wenden und die Fleischseite 10 Sek. braten. Zitronenbutter daraufstreichen und den Fisch noch unter den Grill des Backofens legen, damit die Butter schmilzt und leicht golden wird. Sehr gut passt dazu ein Blumenkohlpüree.

WOLFSBARSCH IN ROSMARINBUTTER MIT BALSAMICO UND SÜSSKARTOFFELPÜREE

Die Milch-Wasser-Mischung, in der die Süßkartoffeln gegart werden, könnte man als Basis für eine Suppe nutzen. Und mit dem Rest der Rosmarinbutter kannst du viele weitere lustige Dinge erfinden, beispielsweise Rindersteaks oder Maiskolben damit verfeinern.

FÜR 4 PORTIONEN
ZEIT: 30 MIN.

FÜR DAS PÜREE
400 g Süßkartoffeln
½ l Milch
50 g Butter
1 TL Salz

FÜR DIE BUTTER
2 Zweige Rosmarin
250 g weiche Butter
1 EL Salz
1 Eigelb (M)
2 EL Aceto balsamico
1 EL frisch gemahlener
    bunter Pfeffer

FÜR DEN FISCH
4 Wolfsbarschfilets
    (à 250 g)
4 EL Aceto balsamico
2 EL Sonnenblumenöl
grobes Meersalz

Für das Püree die Süßkartoffeln schälen und klein würfeln. Mit Milch und ½ l Wasser in einen Topf geben und abgedeckt in 25 Min. weich garen. Die Flüssigkeit abgießen, die Butter und das Salz dazugeben und die Süßkartoffeln zu einem feinen Püree stampfen. Backofengrill vorheizen.

Für die Butter den Rosmarin abbrausen und trockenschütteln, Nadeln abzupfen und fein hacken. Butter in einer Rührschüssel mit den Rührbesen des Handrührgeräts oder der Küchenmaschine cremig schlagen. Mit dem Rosmarin und allen anderen Zutaten vermengen.

Für den Fisch die Wolfsbarschfilets auf Gräten prüfen und diese gegebenenfalls mit einer Fischpinzette entfernen. Den Balsamico in einem Töpfchen bei kleiner Hitze ein wenig reduzieren, dabei aber darauf achten, dass er nicht verbrennt.

Eine gusseiserne Pfanne erhitzen, das Öl und etwas Meersalz hinzufügen. Fischfilets mit der Haut nach unten einlegen und 2 Min. braten, wenden und die Fleischseite 1 Min. garen. Dann die Filets mit der Haut nach unten auf ein Backblech legen und je 1 EL Rosmarinbutter darauf verteilen. Den Fisch im Ofen grillen, bis die Butter eine schöne Bräune angenommen hat.

Das Püree auf Tellern anrichten, die Fischfilets danebenlegen und mit der Flüssigkeit, die in der Pfanne verblieben ist, beträufeln. Zum Schluss die Balsamicoreduktion darüber verteilen – am besten mit einer Spritztüte.

LACHSSTEAK MIT MARTINI-SPINAT-SAUCE

Es gibt Menschen, denen ist bereits ein kleiner Schuss Wein in der Sauce zu viel. Und natürlich ist Kochen mit Alkohol nichts, was sich für Kinder, Schwangere oder trockene Alkoholiker eignet, denn was auch immer erzählt wird: Der Alkohol verdampft oder verkocht nie völlig. Das große kulinarische Aber besteht in dem Umstand, dass Alkohol als Geschmacksverstärker fungieren kann, durch den manche Gerichte erst einen besonderen Kick erhalten. In diesem Gericht spielen gleich drei Faktoren zusammen: Der Weißwein bringt die Säure, der Martini Bianco eine gewisse Süße und der Vermouth das Rückgrat. Zu dritt verleihen sie der Spinatsauce das gewisse Etwas.

FÜR 4 PORTIONEN
ZEIT: 45 MIN.

FÜR DIE SAUCE
50 g Blattspinat
1 kleine Zwiebel
50 ml trockener Vermouth
50 ml Martini Bianco
50 ml halbtrockener Weißwein
100 g Sahne
Salz

FÜR DAS PÜREE
1 kg mehligkochende Kartoffeln
Salz
150 g Parmesan (am Stück)
1 Zweig Thymian
100 g Sahne
30 g Butter

FÜR DEN FISCH
2 EL Sonnenblumenöl
4 Lachssteaks (à 180 g)

Für die Sauce den Blattspinat verlesen, waschen und putzen. Den Spinat 1–2 Sek. in kochendem Wasser blanchieren, herausnehmen und in ein Eiswasserbad geben. Herausnehmen, gut ausdrücken und grob hacken. Die Zwiebel schälen und fein würfeln.

Vermouth, Martini, Wein, Sahne und etwas Salz in einem Topf aufkochen und etwas einreduzieren. Kurz abkühlen lassen, dann den Spinat und die Zwiebel hinzufügen. Mit dem Stabmixer zu einer sämigen Sauce pürieren.

Für das Püree die Kartoffeln waschen und in Salzwasser in 25 Min. weich kochen. Dann die Kartoffeln abgießen, ausdampfen lassen, pellen und pürieren oder zerstampfen. Inzwischen den Backofen auf 200° vorheizen. Den Parmesan grob raspeln. Den Thymianzweig abbrausen und mit Sahne und Butter aufkochen, dann den Zweig aus der Sahne nehmen.

Die Kartoffeln mit der Sahne vermischen und ca. 2 cm hoch in vier kleine flache Gratinformen streichen, dann dick mit dem Parmesan bestreuen. Im Ofen ca. 10 Min. gratinieren, bis der Parmesan goldbraun ist.

Die Martini-Spinat-Sauce wieder erwärmen. Parallel dazu in einer Pfanne die Lachssteaks im Öl von beiden Seiten je 3 Min. braten, sodass sie innen noch leicht glasig sind. Den Lachs mit der Sauce auf Tellern anrichten, das Gratin separat dazu reichen.

An dieser Stelle möchte ich noch einmal betonen, wie wichtig für manche Gerichte die richtige Wahl des Kochgeschirrs ist. Gusseisen speichert die Hitze ganz anders als ein dünnwandiger Topf.

BARSCH IM GUSSEISEN MIT ÄPFELN UND KOKOSREIS

FÜR 4 PORTIONEN
ZEIT: 25 MIN.

4 Barschfilets (à 200 g)
2 saure grüne Äpfel
    (z. B. Granny Smith)
300 g Langkornreis
Salz
1 EL Sonnenblumenöl
grobes Meersalz
2 EL Peperonipüree
    (siehe S. 260)
400 g Kokosmilch

Die Barschfilets auf Gräten prüfen und diese gegebenenfalls mit einer Fischpinzette entfernen. Die Äpfel schälen, vierteln, entkernen und in grobe Würfel oder dicke Spalten schneiden.

Den Reis mit 450 ml Wasser und ½ TL Salz in einem Topf aufkochen und 1 Min. kochen lassen. Dann die Temperatur reduzieren, den Deckel auflegen und den Reis bei kleiner Hitze in 12–13 Min. gar ziehen lassen.

Inzwischen einen großen gusseisernen Topf mit dem Sonnenblumenöl einreiben, dann erhitzen und etwas grobes Meersalz einstreuen. Die Barschfilets mit der Haut nach unten und die Äpfel nebeneinander in den Topf geben und 2 Min. braten, bis die Haut der Filets knusprig ist und die Äpfel leicht gebräunt sind.

Das Peperonipüree und die Kokosmilch dazugeben, den Deckel auflegen und Fischfilets und Äpfel 4 Min. garen. Fisch und Äpfel aus der Kokossauce nehmen und kurz beiseitestellen. Den gekochten Reis in den Topf geben und mit der Sauce vermischen. Den Kokosreis auf Teller verteilen, Fisch und Äpfel darauf anrichten.

Im Lokal servieren wir dazu unser Beilagengemüse aus dem Ofen (siehe S. 166). Dazu gehören in der Regel rote Zwiebeln, Süßkartoffeln, Blumenkohl, Brokkoli und Bohnen. Auch sehr fein sind zudem Kirschtomaten und Kartoffeln sowie jedes andere Gemüse, das das Herz begehrt.

GANZER GEBRATENER FISCH MIT KORIANDERMAYONNAISE

FÜR 4 PORTIONEN
ZEIT: 10 MIN.

FÜR DIE MAYONNAISE
1 große rote Paprika
2 Knoblauchzehen
5 Stängel Koriandergrün
½ rote Chilischote
½ EL Fischsauce
100 g Mayonnaise

FÜR DEN FISCH
2 Wolfsbarsche (à 500 g)
2 EL Sonnenblumenöl
grobes Meersalz

Für die Mayonnaise die Paprika putzen, waschen und in grobe Stücke schneiden. Knoblauch schälen und grob hacken. Das Koriandergrün abbrausen und trocken schütteln. Alles mit der Chili und der Fischsauce fein pürieren. Die Mayonnaise untermischen.

Die Wolfsbarsche von der Bauchseite her auf-, aber nicht ganz durchschneiden, die beide Fleischhälften sollen am Rücken noch zusammenhängen. Die Fische auseinanderklappen und jeweils den Grätenstrang entfernen. Das alles lässt man am besten vom Fischhändler machen, der kann das ruckzuck.

Das Öl in zwei großen schweren Pfannen oder auf einer Plancha erhitzen und etwas Meersalz einstreuen. Die Fische aufgeklappt mit der Haut nach unten einlegen und 3–4 Min. braten, bis die Haut schön knusprig ist. Dann die Fische wenden und noch 1 Min. auf der Fleischseite braten.

Die Wolfsbarsche auf Tellern anrichten. Die Koriandermayonnaise (oder nach Wunsch auch andere Saucen) separat dazu reichen.

Ich mag wirklich Zackenbarsch bei diesem Rezept am liebsten, doch es funktioniert auch hervorragend mit jedem anderen weißfleischigen Raubfisch wie etwa Dorade oder Wolfsbarsch. Dazu passen übrigens kleine, festkochende Kartoffeln, die gegart und vor dem Servieren noch kurz durch geschmolzene Butter gezogen werden.

FÜR 4 PORTIONEN
ZEIT: 25 MIN.

500 g Tomaten (am besten die Sorte Roma)
1 EL Kapern (mit etwas Kapernlake)
4 Zackenbarschfilets (à 250 g)
100 ml Olivenöl (auch fein: Butter)
100 ml Aceto balsamico
1 EL Fischsauce (ersatzweise Meersalz oder zerdrückte eingelegte Anchovis)
Salz
1 EL grob gehackter Dill
1 EL grob gehackte Petersilie

ZACKENBARSCH MIT TOMATEN UND KAPERN

Den Backofen auf 200° vorheizen. Die Tomaten 1–2 Min. in kochend heißes Wasser tauchen, dann häuten. Tomaten halbieren, von den Kernen befreien und grob würfeln. Die Kapern fein hacken. Fischfilets auf Gräten prüfen und diese gegebenenfalls mit einer Fischpinzette entfernen.

In einer großen Pfanne (ofenfest!) 1 EL Olivenöl erhitzen. Die Fischfilets mit der Haut nach unten einlegen und kurz anbraten, dann für ca. 10 Min. in den Ofen (Mitte) schieben. Die Garzeit richtet sich nach der Dicke der Filets; je dicker sie sind, desto länger brauchen sie.

Inzwischen in einem Topf übriges Olivenöl erhitzen. Darin die Tomatenwürfel anbraten. Balsamico und Kapern dazugeben, dann auch die Fischsauce. Tomaten noch kurz weiterbraten, anschließend vom Herd nehmen.

Die Pfanne aus dem Ofen holen. Die Fischfilets salzen und auf Teller verteilen, die Tomaten samt Sauce darübergeben. Die Flüssigkeit, die sich während des Garens in der Pfanne gebildet hat, über den Fisch träufeln. Alles mit Dill und Petersilie bestreuen und servieren.

BARSCHFILETS MIT GETROCKNETEN STEINPILZEN

Vielleicht wunderst du dich, dass ich die getrockneten Steinpilze gar nicht in warmes Wasser eingelegt habe, damit sie weich werden – aber diesen Job übernimmt hier die saure Sahne. Und dank ihres Fettgehalts kitzelt sie sogar noch mehr Geschmack aus den Pilzen heraus, als Wasser das jemals könnte. Die rahmige Sauce schmeckt 1a zu Barschfilets, wenn du aber mal keine Lust auf Fisch hast, funktioniert sie auch prima mit Hühnerbrust, Kalbsschnitzeln – und sogar Pasta. Jetzt, wo ich das sage: Mache zu diesem Fisch als Beilage Fusilli und mische ein wenig Sauce unter sie. Du wirst es lieben!

FÜR 4 PORTIONEN
ZEIT: 15 MIN.

4 Barschfilets (à 180 g)
2 EL getrocknete Steinpilze
250 g saure Sahne
1 TL bunte Pfefferkörner
2 eingelegte Anchovisfilets

Den Backofen auf 180° vorheizen. Die Barschfilets auf Gräten prüfen und diese gegebenenfalls mit einer Fischpinzette entfernen. Die Fischfilets mit der Haut nach unten nebeneinander in eine große, flache Auflaufform legen. Den Fisch im Ofen (Mitte) 15 Min. garen.

Die getrockneten Steinpilze grob hacken und mit der sauren Sahne in einer Pfanne erhitzen. Die Sahne ein wenig einkochen lassen, dann den Pfeffer dazugeben. Die Anchovis mit der breiten Seite eines großen Messers zerdrücken und die Sauce damit abschmecken.

Die Barschfilets aus dem Ofen holen und mit der Steinpilzsauce auf den Tellern anrichten. Sofort servieren!

»CHINESISCHER« FISCH IM GUSSEISEN

Ich nenne das bei mir im Restaurant den »chinesischen« Fisch, weil die Saucenmixtur aus Sojasauce und Zucker sowie die Schärfe und die Säure der Sauce typisch für die chinesische Küche ist. Perfekt dazu passt Meeräsche, wenn du die aber nicht bekommst, kannst du auch andere helle, nicht zu teure Fischfilets nehmen, denn hier kommt der Geschmack vor allem durch die Sauce. Ganz wichtig hingegen ist die Verwendung eines gusseisernen Bräters, da dieser die Hitze ganz anders leitet und speichert als eine dünnwandige Form.

FÜR 2 PORTIONEN
ZEIT: 20 MINUTEN

1 Zwiebel
1 Stück Ingwer (3 cm lang)
2 Knoblauchzehen
½ grüne Chilischote
½ rote Chilischote
1 Tomate
150 ml halbtrockener
    Weißwein
2 EL Zucker
5 EL Sojasauce
1 EL Tomatenmark
¼ TL Cayennepfeffer
4 Meeräschenfilets (à 150 g)
3 EL Sonnenblumenöl
1 Frühlingszwiebel

Die Zwiebel, den Ingwer und den Knoblauch schälen und fein hacken. Die Chilis putzen und sehr fein hacken. Die Tomate waschen und in kleine Würfel schneiden. Alles mit Weißwein, Zucker, Sojasauce, Tomatenmark, Cayennepfeffer und 2 EL Wasser verrühren.

Die Meeräschenfilets auf Gräten prüfen und diese gegebenenfalls mit einer Fischpinzette entfernen. In einem gusseisernen Bräter das Sonnenblumenöl erhitzen. Die Fischfilets mit der Haut nach unten nebeneinander in den Bräter legen. Die Sauce über den Fisch gießen und den Bräter sofort mit dem Deckel verschließen.

Damit sich die Sauce nicht trennt, sollten die Fischfilets genau 3 Min. bei großer Hitze gegart werden. Überprüfen, ob der Fisch gar ist. Falls nicht, noch kurz sanft simmern lassen. Die Frühlingszwiebel waschen, putzen, in Ringe schneiden und über den Fisch streuen.

ROTBARSCH MIT CHAMPAGNER UND ROSMARIN

Eines Tages fuhr ein dicker Mercedes vor, aus dem ein Kerl wie aus einem Gangsterfilm und ein aufgetakeltes Püppchen stiegen. Das Paar nahm im Restaurant Platz, orderte eine Flasche Champagner und den größten Zackenbarsch, den die Küche hergab. Ich versuchte, sie auf das Degustationsmenü umzulenken, erntete aber nur böse Blicke. Also bekamen sie ihren Barsch. Sie tranken zwei Gläschen Champagner, nahmen ein paar wenige Bissen vom Fisch und nippten dann noch an einem Glas Cognac. Der Mann zückte ein Bündel mit 100-Dollar-Scheinen, legte zwei Scheine auf den Tisch – und anschließend verließen die beiden das Lokal, ohne auf das Wechselgeld zu warten. Solche Gäste machen wahrlich keinen Spaß. Aber aus dem übrigen Champagner ist dieses Gericht entstanden – und das ist doch was Gutes.

FÜR 4 PORTIONEN
ZEIT: 20 MIN.

1 Zweig Rosmarin
300 ml Champagner (ersatz-
    weise jeder andere Schaum-
    wein, z. B. Sekt oder Cava)
400 g Sahne
4 Rotbarschfilets (à 200 g,
    auch fein: Seelachs,
    Lachs oder Dorade)
2 EL Butter
Salz

Den Backofen auf 220° vorheizen. Den Rosmarin abbrausen, trocken schütteln und die Nadel abstreifen. Den Champagner mit dem Rosmarin in einen kleinen Topf geben und bei großer Hitze einkochen, bis nur noch ein Viertel davon übrig ist. Das dauert ca. 3 Min. Dann die Sahne dazugießen und die Sauce 5 Min. einkochen lassen, bis sie etwas eingedickter ist. Mit Salz abschmecken.

Inzwischen die Rotbarschfilets auf Gräten prüfen und diese gegebenenfalls mit einer Fischpinzette entfernen. Ein Backblech mit etwas Butter einstreichen. Filets von beiden Seiten leicht salzen und mit der Haut nach unten auf das Blech legen. Übrige Butter in Flöckchen darauf verteilen.

Das Backblech mit einem zweiten Backblech abdecken und zusammen in den Ofen (Mitte) schieben. Nach 3 Min. die Temperatur auf 180° herunterschalten und die Ofentüre leicht öffnen, diese dann nach 5 Min. wieder schließen. Nach weiteren 3 Min. sollte der Fisch gar sein.

Die Rotbarschfilets auf Tellern anrichten und mit der Sauce begießen. Dazu passt ein Süßkartoffelpüree (siehe S. 186).

GEFÜLLTE SARDINEN

Die Füllung kannst du stark variieren. Ich habe sie schon mit Meeresalgen, Austernsauce, Zitronensaft und grünem Tabasco ausprobiert, doch versuche dich ruhig mal selbst an der Zusammenstellung. Was aber immer gut ist: Salze zuerst nur wenig oder gar nicht. Dann kannst du die Füllung probieren und nach Geschmack peu à peu weiteres Salz dazugeben, bis es passt. Und falls du Sorge hast, dass die »doppelten« Sardinen in der Pfanne nicht doppelt bleiben? Du wirst überrascht sein – sie halten wirklich gut zusammen.

FÜR 4 PORTIONEN
ZEIT: 25 MIN.

½ Bund Koriandergrün
2 Knoblauchzehen
1 scharfe Peperoni (rot oder grün)
3 EL Olivenöl
1 TL Zitronensaft
1 TL Fischsauce
8 Sardinen (möglichst gleich groß, ausgenommen, ohne Kopf, Gräten und Flossen)
4 EL Mehl
3 Eier (M)
5 EL Semmelbrösel
Salz

Den Koriander abbrausen, trocken schütteln und grob hacken. Knoblauch schälen und ebenfalls hacken. Die Peperoni waschen, putzen und in dünne Streifen schneiden. Alles zusammen mit 1 EL Öl, Zitronensaft und Fischsauce im Blitzhacker oder Mörser zu einer cremigen Paste verarbeiten.

Sardinen von der Bauchseite her so einschneiden, dass man sie ganz aufklappen kann, die beide Fleischhälften am Rücken aber noch zusammenhängen. Die Hälfte der Sardinen auf der Fleischseite gleichmäßig mit der Korianderpaste bestreichen, dann die übrigen Sardinen darauflegen – Fleischseite auf Fleischseite.

Das Mehl, die Eier und die Semmelbrösel auf drei Teller verteilen, alles salzen, die Eier noch mit einer Gabel gut verquirlen. Die »doppelten« Sardinen von beiden Seiten vorsichtig zuerst im Mehl, dann in den Eiern und schließlich in den Semmelbröseln wenden.

In einer großen Pfanne übriges Olivenöl (2 EL) auf mittlere Hitze bringen. Darin die Sardinen auf beiden Seiten 2–3 Min. braten, bis sie schön braun sind. Zum Entfetten kurz auf Küchenpapier setzen, dann sofort servieren.

Chraime ist ein israelisches Nationalgericht – und steht klassischerweise für Fisch in einer scharfen Tomatensauce. Aber wie du siehst, sind bei mir gar keine Tomaten drin! Wieder mal so ein Beispiel, dass man auch an einer Tradition ruhig etwas herumspielen darf. Bei den Peperoni kannst du übrigens gerne weniger nehmen, mach einfach so, wie es dir schmeckt. Wichtig ist nur, dass aus der Chraime keine Suppe wird.

CHRAIME NACH ART VON URI BURI

FÜR 4 PORTIONEN
ZEIT: 10 MIN.
+ 50 MIN. GAREN

4 Zackenbarschsteaks (à 200 g,
    ersatzweise ein anderer
    günstiger Fisch)
2 große Möhren
8 Stangen Staudensellerie
½ rote Peperoni
½ grüne Peperoni
10 Knoblauchzehen
1 EL Olivenöl
1 TL Kurkuma
1 TL edelsüßes Paprikapulver
750 ml Fischfond (siehe S. 252)
Salz
¼ Bund Koriandergrün

Die Zackenbarschsteaks auf Gräten prüfen und diese gegebenenfalls mit einer Fischpinzette entfernen. Die Möhren schälen und in dünne Scheiben schneiden. Den Sellerie waschen, putzen und grob würfeln. Die Peperoni in feine Streifen schneiden. Den Knoblauch schälen und fein hobeln.

In einem breiten Topf das Öl erhitzen. Darin bei mittlerer Hitze erst die Möhren und den Sellerie anschmoren, nach 5 Min. Peperoni, Knoblauch, Kurkuma und Paprikapulver hinzufügen. Gut verrühren.

250 ml Fischfond angießen und die Fischsteaks nebeneinander in den Topf legen. Jetzt mehr Fond hinzufügen – die Seiten der Fischsteaks sollen mit Flüssigkeit bedeckt sein, nicht aber die Oberseiten. Den Deckel auflegen und das Chraime bei kleiner Hitze ca. 50 Min. ziehen lassen. Ab und zu prüfen, ob noch genug Fond im Topf ist, bei Bedarf nachgießen.

Am Ende der Garzeit die Sauce im offenen Topf noch ein wenig einkochen lassen. Ist die Sauce eher flüssig, nimmt man vorher den Fisch heraus und erhöht zudem die Hitze. Hat die Sauce die richtige Konsistenz, legt man den Fisch wieder ein. Den Koriander abbrausen, trocken schütteln, hacken und über das Chraime streuen. Mit Reis genießen.

Wir haben den Fisch für dieses Gericht in Steaks geschnitten, anstatt die Filets auszulösen. Dadurch wird das Fischfleisch von der Wirbelsäule noch zusammengehalten und hat mehr Stabilität. Ein weiterer Vorteil von Steaks ist, dass sie überall die gleiche Dicke haben, während Filets dickere und dünnere Stellen aufweisen und daher ungleich garen.

FÜR 4 PORTIONEN
ZEIT: 20 MIN.

FÜR DIE CHILISAUCE
3 Knoblauchzehen
1 rote Chilischote
1 grüne Chilischote
100 ml Zitronensaft
1 EL Fischsauce
4 Stängel Koriandergrün

FÜR DIE REMOULADE
1 große Essiggurke
1 Schalotte
30 g Kapern
100 g Mayonnaise

FÜR DEN FISCH
4 Fischsteaks (z. B. Lachs,
    Kabeljau, Heilbutt)
2 EL Sonnenblumenöl
grobes Meersalz

FISCHSTEAK MIT ZWEIERLEI SAUCEN

Für die Chilisauce den Knoblauch schälen und sehr fein würfeln. Die Chilis putzen, waschen und in sehr feine Ringe schneiden. Beides mit Zitronensaft und Fischsauce verrühren und abschmecken. Koriander abbrausen, trocken schütteln, mitsamt den zarten Stängeln hacken und kurz vor dem Servieren unter die Sauce rühren.

Für die Remoulade Essiggurke würfeln, Schalotte schälen und grob hacken. Beides mit den Kapern fein pürieren und mit der Mayonnaise vermischen.

Die Fischsteaks auf Gräten prüfen und diese gegebenenfalls mit einer Fischpinzette entfernen. Auf der Plancha oder in einer Pfanne das Öl erhitzen und etwas grobes Salz hineinstreuen. Die Fischsteaks von jeder Seite 2–3 Min. braten, bis sie durch sind.

Die Fischsteaks auf Tellern anrichten. Die beiden Saucen extra dazu reichen. Sehr gut passt Majadarareis (siehe S. 168) dazu.

Wenn du dieses Rezept für eine größere Runde zubereiten möchtest, dann mache es am besten im Backofen. Du heizt zunächst auf 180° vor. Die Sauce bereitest du separat zu und erhitzt sie in einem Topf. Dann legst du die Fischfilets auf ein Backblech oder in eine Backform (beides solltest du am Rand und am Boden mit Butter einfetten) und übergießt sie mit der heißen Sauce. Im Ofen ist der Fisch dann in 6–7 Min. fertig.

LACHSFORELLE IM GUSSEISEN MIT SCHMAND

FÜR 4 PORTIONEN
ZEIT: 10 MIN.

8 Lachsforellenfilets (à 125 g)
2 Frühlingszwiebeln
2 EL Sonnenblumenöl
600 g Schmand
4 EL frisch gemahlener
   bunter Pfeffer
60 ml Fischsauce

Die Lachsforellenfilets auf Gräten prüfen und diese gegebenenfalls mit einer Fischpinzette entfernen. Die Frühlingszwiebeln waschen, putzen und in feine Ringe schneiden.

Das Öl in einem gusseisernen Bräter erhitzen. Die Fischfilets mit der Haut nach unten einlegen und 1–2 Min. anbraten.

Dann den Schmand mit Pfeffer und Fischsauce verrühren und in den Bräter gießen, sodass der Fisch damit bedeckt ist. Deckel auflegen und nach 2 Min. wieder abnehmen und prüfen, ob der Fisch gar ist. Er muss fast durch sein, innen noch schön glasig und saftig.

Die Lachsforellenfilets auf Teller verteilen und mit den Frühlingszwiebeln bestreuen. Fast ein Muss dazu: gelber Reis (siehe S. 270). Diesen aber erst mit dem Schmand im Bräter vermischen, bevor er auf die Teller kommt.

Ein ideales Sommergericht, das einfach und fix gemacht ist. Natürlich verwendest du Wassermelone nur dann, wenn sie gerade Saison hat, alles andere macht keinen Sinn. Ob du es nun salziger, saurer oder süßer magst, kannst du selbst bestimmen – einfach mehr oder weniger eingelegte Zitrone verwenden. Aber bitte nimm keinen »leichten« Joghurt, da würdest du dich um viel Geschmack bringen.

FÜR 4 PORTIONEN
ZEIT: 10 MIN.

½ eingelegte Zitrone
    (siehe S. 264)
4 Spalten Wassermelone
    (möglichst ohne Kerne)
8 Doradenfilets (à 80 g)
1 EL Olivenöl
Salz
4 EL griech. Joghurt

DORADE MIT JOGHURT UND EINGELEGTER ZITRONE

Von der eingelegten Zitrone die Kerne entfernen. Die Zitrone in einen hohen Mixbecher geben und mit dem Stabmixer fein pürieren. Das Fruchtfleisch der Wassermelone von der Schale schneiden und bei Bedarf von den Kernen befreien.

Die Doradenfilets auf Gräten prüfen und diese gegebenenfalls mit einer Fischpinzette entfernen. Das Olivenöl in einer großen Pfanne erhitzen. Darin bei mittlerer Hitze die Filets mit der Haut nach unten 3 Min. braten, wenden und in knapp 1 Min. fertigbraten.

Die Doradenfilets und die Melonenspalten auf Tellern anrichten, die Filets leicht salzen. Jeweils 1 EL Joghurt neben die Fischfilets setzen und etwas Zitronenpüree obendrauf löffeln. Wer mag, kann dazu noch Reis servieren.

Leicht und leicht gesellt sich gern … Der Thunfisch ist dann am besten, wenn er nie nie nie durchgebraten, sondern innen noch wirklich roh ist und diese kühle Frische behält. Mit dem Joghurt wirkt das dann wie eine luftige Zwischenmahlzeit.

FÜR 4 PORTIONEN
ZEIT: 10 MIN.

1 kleine rote Peperoni
½ Bund Koriandergrün
2 EL grüner Tabasco
2 EL Olivenöl
500 g Joghurt
1 kleine rote Zwiebel
2 EL Sonnenblumenöl
800 g Thunfischfilet
Salz | Pfeffer

THUNFISCH MIT JOGHURT

Die Peperoni waschen, putzen und in Ringe schneiden. Den Koriander abbrausen, trocken schütteln und grob hacken. In einer Schüssel Tabasco und Olivenöl mischen. Den Joghurt glattrühren und auf Teller verteilen, indem man ihn kreisförmig aufträgt und dabei die Mitte frei lässt.

Die Zwiebel schälen und in dünne Ringe schneiden. 1 EL Sonnenblumenöl in einer großen Pfanne erhitzen, darin die Zwiebelringe 1 Min. andünsten. Zwiebel herausnehmen und beiseitestellen, die Pfanne auswischen.

Den Thunfisch in ca. 2 cm große Würfel schneiden, salzen und pfeffern. Das restliche Sonnenblumenöl (1 EL) in der Pfanne erhitzen. Darin die Thunfischwürfel pro Seiten ca. 10 Sek. scharf anbraten (bei Bedarf in zwei Portionen, falls die Pfanne überladen ist). Am Ende des Bratens Zwiebel und Peperoni in die Pfanne geben und unter den Thunfisch mischen.

Pfanne vom Herd ziehen. Den Tabasco-Olivenöl-Mix in die Pfanne geben und Thunfisch, Peperoni und Zwiebel ganz kurz darin wenden, dann sofort auf dem Joghurt anrichten. Mit dem Koriander bestreuen und servieren.

ISRAELISCHER COUSCOUS MIT SEAFOOD-MIX

Wir nennen das zwar israelischer Couscous, doch im Grunde ist es mehr eine Pasta als ein echter arabischer Couscous. Man hat den Ptitim früher sehr gerne für Kinder gekocht – aber wer ist bei solch einem Geschmack nicht gerne wieder Kind?

FÜR 4 PORTIONEN
ZEIT: 30 MIN.

FÜR DEN COUSCOUS
Salz | 1 kleine Zwiebel
3 EL Sonnenblumenöl
300 g Ptitim (Couscous)
3 EL Sojasauce
3 Tropfen Sesamöl
½ EL süße Chilisauce

FÜR DAS GEMÜSE
50 g Zuckerschoten
1 kleine Möhre
3 EL Sonnenblumenöl

FÜR DEN SEAFOOD-MIX
300 g Baby-Tintenfische
    (küchenfertig)
300 g Miesmuscheln
    (küchenfertig)
1 EL Sonnenblumenöl
150 g Garnelen (geschält
    und vom Darm befreit)
100 ml Weißwein

Für den Couscous 200 ml Wasser mit ½ EL Salz aufkochen. Die Zwiebel schälen und sehr fein würfeln. Öl im Topf erhitzen und darin die Zwiebel bei mittlerer Hitze glasig dünsten. Ptitim dazugeben und unter Rühren anrösten, das Salzwasser dazugießen. Temperatur herunterschalten und den Deckel auflegen. Den Couscous bei kleiner Hitze 10 Min. köcheln, dann auf der ausgeschalteten Herdplatte weitere 10 Min. ziehen lassen. Erst dann den Deckel öffnen und den Topfinhalt mit der Gabel auflockern.

Für das Gemüse Zuckerschoten waschen, putzen und eventuell halbieren. Die Möhre schälen und in Scheiben schneiden. In einem Topf das Sonnenblumenöl erhitzen und darin das Gemüse in 5–6 Min. bissfest garen.

Für den Seafood-Mix die Tintenfische und die Muscheln unter fließendem kaltem Wasser säubern. Tintenfische in ca. 2 cm breite Ringe schneiden. In einer schweren Pfanne das Öl erhitzen. Darin die Tintenfischringe 1 Min. scharf anbraten. Die Garnelen dazugeben und unter Rühren 1 Min. mitbraten. Beides herausnehmen und warm stellen. Jetzt die Muscheln mit dem Wein in die Pfanne geben und bei aufgelegtem Deckel 3 Min. dämpfen, sodass sie aufgehen.

Den Couscous und den Seafood-Mix zum Gemüse in den Topf geben. Sojasauce mit Sesamöl und Chilisauce verrühren und ebenfalls dazugeben. Alles vermengen, auf Teller verteilen und servieren.

FRITTIERTE CALAMARES

Hier kannst du bedenkenlos Tiefkühlware nehmen, fertig geputzte und schon in Ringe
geschnittene Calamares. Das erspart dir einerseits Arbeit und zudem sind die Calamares
dann auch schön zart, da durch das Einfrieren die Zellen aufgebrochen wurden. Mit auf den
Tisch kommen am besten eine Reihe von Saucen und Dips zum Eintunken, beispielsweise
süße Chilisauce oder eine Aioli mit Koriandergrün. Das Frittieröl muss du übrigens nach der
Benutzung nicht gleich entsorgen, das wäre eine echte Verschwendung. Fülle es, nachdem es
erkaltet ist, über ein Sieb und einen Trichter wieder zurück in die Flasche(n).

FÜR 4 PORTIONEN
ZEIT: 20 MIN.

1 Knoblauchzehe
2 TL Salz
1 TL Pfeffer
1 TL Za'atar (orient.
   Gewürzmischung)
120 ml Zitronensaft
1 kg TK-Calamares-Ringe
   (aufgetaut)
120 g Mehl
2 l Sonnenblumenöl
   zum Frittieren

Den Knoblauch schälen und sehr fein hacken oder durch die Presse
drücken. In einer großen Schüssel mit 1 TL Salz, dem Pfeffer, dem Za'atar
und dem Zitronensaft vermischen. Calamares-Ringe dazugeben und alles
gründlich vermischen, dann ca. 3 Min. marinieren lassen. Die Calamares
aus der Marinade nehmen und in einem Sieb gut abtropfen lassen.

Mehl und restliches Salz (1 TL) in einen Behälter mit fest verschließbarem
Deckel geben und die Calamares hinzufügen. Jetzt den Deckel schließen
und die Calamares im Behälter gut durchschütteln, damit sie rundum
bemehlt sind. In ein zweites, trockenes Sieb geben, um das übrige Mehl
abschütteln zu können.

Das Sonnenblumenöl in einem hohen Topf (oder natürlich idealerweise
in einer Fritteuse, sofern man eine hat) auf eine Temperatur von ca. 180°
bringen. Darin die Calamares-Ringe portionsweise frittieren. Wirklich nicht
zu viele Ringe auf einmal in das Öl geben, sonst kühlt es sich ab und der
Frittiereffekt ist futsch.

Die Calamares sollen am Ende schön goldbraun ausgebacken sein, das
dauert pro Portion ca. 2 Min., dann mit einem Schaumlöffel aus dem Öl
heben und kurz auf Küchenpapier entfetten lassen. Mit Saucen, Dips
(siehe oben) und nach Belieben auch einem Salat servieren.

Auf Schachars Weinempfehlungen kann sich der Gast verlassen.

Avocado und Garnelen sind eine geniale Kombination. Zum ersten Mal habe ich sie vor mehr als 50 Jahren in einem ausgezeichneten Restaurant in der Schweiz gegessen. Daraus ist dann dieses Rezept entstanden – auch, weil meine Frau Yale so gerne Avocados isst.

GARNELEN MIT AVOCADO

FÜR 4 PORTIONEN
ZEIT: 10 MIN.

1 Avocado
Salz
10 Kalamata-Oliven
4 EL Olivenöl
1 ½ EL grüner Tabasco
1 TL Zitronensaft
1 EL Sonnenblumenöl
800 g Garnelen (geschält
    und vom Darm befreit)

Das Avocadofleisch aus der Schale lösen. Dafür mit einem Messer einmal mittig rund um die Längsachse der Avocado fahren, immer auf dem Kern entlang. Dann beide Hälften gegeneinanderdrehen. In der einen Hälfte steckt noch der Kern, den holt man mit einem kleinen, spitzen Messer heraus. Nun nimmt man einen Esslöffel, fährt damit vorsichtig zwischen Schale und Fruchtfleisch und hebt die Fruchthälfte ab. Beide Avocadohälften in 1 cm dicke Scheiben schneiden, auf Teller verteilen und salzen.

Das Fleisch der Oliven von den Kernen schneiden, dann grob hacken. Mit Olivenöl, Tabasco und Zitronensaft vermischen.

Auf der Plancha oder in einer großen gusseisernen Pfanne das Sonnenblumenöl erhitzen. Darin die Garnelen von jeder Seite ca. 2 Min. braten, bis sie schön knusprig werden. Die Olivenmischung untermischen, dann alles auf der Avocado verteilen. Am besten mit Weißbrot servieren.

MEDITERRANE GARNELEN

Ich höre immer wieder von Menschen, die absolut kein Koriandergrün mögen, was ich mir persönlich gar nicht vorstellen kann. Ist das aber der Fall, nimmt man stattdessen einfach Minze. Auch Fischsauce ist nicht unbedingt jedermanns Sache, vor allem, wenn man pur an ihr riecht. In Kombination mit anderen Zutaten allerdings entfaltet sich ein wunderbarer Geschmack. Auch in diesem Gericht! Hier in Verbindung von sauren, würzig-scharfen und salzigen Aromen. Alles passt ganz hervorragend zusammen – und es ist genau das, was ich an diesem Gericht besonders liebe.

FÜR 4 PORTIONEN
ZEIT: 15 MIN.

2 Knoblauchzehen (es dürfen
    aber gerne auch mehr sein)
1 scharfe rote Peperoni
1 scharfe grüne Peperoni
100 ml Olivenöl
800 g Garnelen (geschält
    und vom Darm befreit)
Saft von 1 Zitrone
Fischsauce nach Geschmack
gehacktes Koriandergrün
    nach Geschmack

Den Knoblauch schälen und sehr fein hacken. Rote und grüne Peperoni waschen, putzen und in feine Ringe schneiden.

In einer großen Pfanne 3 EL Öl erhitzen. Darin die Garnelen 1 Min. anbraten, dann herausnehmen und beiseitestellen.

Die Hitze reduzieren. Knoblauch und Peperoni mit dem restlichen Öl in die Pfanne geben und kurz anbraten, mit Zitronensaft und Fischsauce ablöschen. Probieren und nach Gusto nachwürzen.

Die Garnelen wieder in die Pfanne geben und warm werden lassen, dann mit gehacktem Koriander bestreuen und sofort servieren. Unbedingt Weißbrot dazu reichen, das ist göttlich zum Tunken.

Solltest du keine dünnen grünen Spargelstangen bekommen, sondern nur dicken, nimm nur die Hälfte. Die dicken Stangen musst du dann aber längs halbieren, bevor du sie in Stücke schneidest.

FÜR 4 PORTIONEN
ZEIT: 15 MIN.

20 dünne Stangen
    grüner Spargel
1 EL Butter
grobes Meersalz
800 g Garnelen (geschält
    und vom Darm befreit)
350 g Schmand
160 g Gorgonzola

GORGONZOLA-GARNELEN MIT GRÜNEM SPARGEL

Den Spargel waschen und im unteren Drittel schälen, die Enden knapp abschneiden. Die Stangen in 6 cm lange Stücke schneiden.

Die Butter in einer großen Pfanne mit etwas grobem Meersalz bestreuen und schmelzen. Darin die Garnelen 1 Min. anbraten, dann herausnehmen und beiseitestellen.

In der Pfanne den Schmand und den Gorgonzola gut miteinander verrühren, bis der Käse schmilzt. Dann die Sauce bei kleiner Hitze in 4–5 Min. auf die Hälfte einkochen. Dabei aber aufpassen, dass nichts anbrennt.

Die Garnelen und die Spargelstücke in die Pfanne geben und alles noch 2 Min. köcheln lassen. Die Gorgonzola-Garnelen am besten in der Pfanne servieren und Brot dazu reichen.

MIESMUSCHELN IM SAHNESUD

Bunten Pfeffer nennt man in Israel »Vier-Jahreszeiten-Pfeffer«. Es ist ein Mix aus grünen, schwarzen, weißen und roten Pfefferkörnern, denen auch noch Korianderkörner beigemischt wurden. Bunter Pfeffer ist in sehr vielen Gerichten gut einsetzbar, weil er als eine Mischung unterschiedliche Geschmacksrichtungen miteinander verbindet.

Wenn du Miesmuscheln kochst, prüfe sie zuvor auf geöffnete Exemplare, die du entsorgst. Meist muss man Muscheln heute gar nicht mehr groß putzen, sie sind oft schon entbartet (anders als ich) und küchenfertig vorbereitet.

FÜR 2 PORTIONEN
ZEIT: 10 MIN.

350 g Miesmuscheln
  (küchenfertig)
1 kleine Zwiebel
3 Stängel Dill
1 TL Sonnenblumenöl
40 ml trockener Weißwein
2 EL Sahne
¼ TL frisch gemahlener
  bunter Pfeffer
½ TL Fischsauce
30 g Butter

Die entbarteten Muscheln gründlich waschen und abtropfen lassen. Die Zwiebel schälen und in sehr feine Würfel schneiden. Den Dill abbrausen und trocken schütteln, die Blättchen von den Stängeln zupfen und nach Belieben ganz lassen oder grob hacken.

Das Sonnenblumenöl in einer großen Pfanne erhitzen. Darin die Zwiebel kurz anbraten, dann die Miesmuscheln dazugeben. Die Pfanne abdecken und die Muscheln 30 Sek. garen. Dann Wein, Sahne, Pfeffer, Fischsauce und den Dill (bis auf einen kleinen Rest) dazugeben und erhitzen.

Die Pfanne vom Herd nehmen und die Butter dazugeben. Alles mit einem Kochlöffel vermischen, bis die Butter geschmolzen ist. Die Muscheln in Suppentellern anrichten und mit dem übrigen Dill garnieren.

JAKOBSMUSCHELN MIT CRÈME FRAÎCHE

Wir servieren dieses Gericht bei uns im Restaurant mit frischem Seetang, den wir über der offenen Flamme richtig knusprig werden lassen. Alternativ kann man das auch unter dem Backofengrill oder in einer trockenen Pfanne machen. Dann zerbröseln wir den Tang mit den Händen und streuen ihn über die fertig gegarten Jakobsmuscheln. Du wirst vielleicht Schwierigkeiten haben, frischen Seetang zu bekommen. Wenn du Glück hast, kannst du ihn in Asialäden oder über das Internet kaufen. Im Supermarkt findest du aber mit Sicherheit getrocknete Nori-Blätter, die wenigstens ein Ersatz dafür sein können. Manchmal muss man eben variieren – aber das ist auch gerade das Schöne am Kochen.

FÜR 4 PORTIONEN
ZEIT: 10 MIN.
+ 10 MIN. TROCKNEN

1 Stück Ingwer (3–4 cm lang)
2 Knoblauchzehen
2 Nori-Blätter
1 EL Butter
12 Jakobsmuscheln (ausgelöst, ohne den orangen Rogen)
2 EL Austernsauce
200 g Crème fraîche
80 ml halbtrockener Weißwein

Den Ingwer und Knoblauch schälen und sehr fein hacken. Nori-Blätter mit der Küchenschere in grobe Stücke schneiden und in einer großen Pfanne in 10 Min. knusprig trocknen. (Alternativ im Backofen trocknen, siehe S. 232.) Dann die Blätter mit den Händen grob zerbröseln.

Nun in der Pfanne die Butter schmelzen. Darin die Jakobsmuscheln von beiden Seiten je 2 Min. kräftig anbraten. Herausnehmen, beiseitestellen.

Ingwer und Knoblauch mit Austernsauce, Crème fraîche und Weißwein in die Pfanne geben und 5 Min. einkochen lassen. Dann die Jakobsmuscheln wieder in die Pfanne geben und ca. 1 Min. erhitzen. Mit den Nori-Bröseln bestreuen und in der Pfanne auf den Tisch stellen.

Das ist ein wirklich ultraschnelles Gericht, zu dem man nur noch zwei weiße Dinge braucht: Weißbrot und Weißwein. Und es ist so einfach zuzubereiten, dass man sich nebenher noch unterhalten kann. Was ist im Orient übrigens der Unterschied zwischen einem Monolog und einem Dialog? Ein Monolog ist es, wenn jemand zu sich selbst spricht. Und Dialog ist es, wenn mehrere Leute zu sich selbst sprechen.

KRABBENFLEISCH MIT ALGEN

FÜR 4 PORTIONEN
ZEIT: 10 MIN.

3 Nori-Blätter
400 g Sahne (auch fein:
    Schmand)
500 g Krabbenfleisch
Fischsauce nach Gusto

Backofen auf 160° vorheizen. Darin die Nori-Blätter 10 Min. trocknen, dann mit den Händen grob zerbröseln. Alternativ kann man die Nori-Blätter auch in der Pfanne (siehe S. 230) oder auf dem Grill über offener Flamme knusprig trocknen.

Die Sahne in eine große Pfanne geben und bei mittlerer Hitze ca. 5 Min. köcheln und andicken lassen. Das Krabbenfleisch dazugeben und mit Fischsauce abschmecken, 2 Min. köcheln lassen.

Das Krabbenfleisch und die Sahnesauce auf Teller verteilen und die grob zerbröselten Algenblätter darüberstreuen. Sofort servieren! Wer mag, streut sich jetzt noch ein paar Safranfäden über das Gericht – Luxus pur also, aber trotzdem auch ganz einfach.

MUSCHELN IM GARNELENSUD

Garnelensud kannst du kinderleicht selbst herstellen. Nimm einfach möglichst viele Schalen von – am besten – Rotgarnelen (also plane doch einen schönen Garnelen-Abend mit guten Freunden!), gib sie in einen Topf und bedecke sie mit Wasser. Dann kommen noch gehackte Zwiebeln, Möhren und Sellerie dazu, auch ein gutes Stück in Scheiben geschnittener Ingwer. Das lässt du jetzt bei kleiner Hitze rund eine halbe Stunde leise köcheln. Nun den feinen, aromatischen Sud durch ein Sieb abgießen, salzen und etwas Tomatenmark einrühren. Fertig! Natürlich lässt sich der Sud auch zur Vorratshaltung einfrieren, doch ich bin kein großer Freund davon, weil das die Fettstruktur und damit auch den Geschmack zu stark verändert. Lieber alsbald verbrauchen. Im Kühlschrank hält sich der Garnelensud ein paar Tage.

FÜR 4 PORTIONEN
ZEIT: 10 MIN.

1 kg Miesmuscheln
   (küchenfertig)
1 Stück Ingwer
   (3–4 cm lang)
1 große Knoblauchzehe
3 EL Olivenöl
120 ml Garnelensud
70 ml Weißwein

Die entbarteten Muscheln gründlich waschen und abtropfen lassen. Nicht gesäuberte Muscheln noch vom Bart befreien. Außerdem kontrollieren, ob alle Muscheln geschlossen sind, geöffnete Exemplare aussortieren. Den Ingwer und den Knoblauch schälen und sehr fein hacken.

In einem Wok oder einer großen gusseisernen Pfanne das Öl stark erhitzen. Die Muscheln dazugeben, wobei es zu einer kleinen Stichflamme kommen kann – nicht erschrecken! Die geht von alleine wieder aus. Im Zweifelsfall mit dem Topfdeckel ersticken. Die Muscheln im Öl 3 Min. braten, dabei immer wieder durchrühren.

Garnelensud und Wein dazugießen, Ingwer und Knoblauch unterrühren. Die Flüssigkeit bei aufgelegtem Deckel zum Kochen bringen. Dann die Miesmuscheln offen 2 Min. unter gelegentlichem Rühren köcheln lassen. Sofort servieren, eventuell vorher noch gehackten Dill darüberstreuen.

CALAMARES À LA PLANCHA

Dieses Gericht lässt sich natürlich auch in einer Pfanne oder einer gusseisernen Kasserolle zubereiten, doch empfehle ich eine Plancha. Hier kann man mit hohen Temperaturen – auch ohne Öl oder andere Flüssigkeiten – arbeiten, zugleich eignen sich nicht ganz so heiße Stellen perfekt als Warmhalteplatte zum Nachziehen. Wenn du das Rezept variierst, indem du einen Seafood-Mix verwendest, solltest du Garnelen und Jakobsmuscheln erst etwas später auf die Plancha geben, um das Fleisch nicht trocken werden zu lassen. Und es gilt, wie immer bei Pfannengerichten: Nicht zu viel auf einmal zubereiten, sonst ist der Brateffekt dahin. Also lieber jede Portion einzeln braten, maximal zwei zugleich.

FÜR 2 PORTIONEN
ZEIT: 10 MIN.

400 g Baby-Calamares
    (küchenfertig)
3 EL Olivenöl
1 Bio-Zitrone
grobes Meersalz

Die Plancha gut erhitzen. Die Baby-Calamares mit 1 EL Olivenöl in eine Schüssel geben und gründlich durchmischen. Die Zitrone waschen, abtrocknen und in dicke Spalten schneiden.

Wenn die Plancha richtig schön heiß ist, kommt erst etwas Meersalz darauf, dann die Calamares. Diese jetzt nicht bewegen oder wenden! Es ist wichtig, dass alle Calamares mit der Plancha den Kontakt halten. Erst nach 1 Min. Röstung ein wenig umrühren und dann noch 1 Min. braten.

Die Calamares von der Plancha nehmen, auf Teller verteilen und mit dem restlichen Olivenöl (2 EL) besprenkeln. Die Zitronenspalten dazulegen, damit sich jeder selbst davon bedienen kann. Sofort servieren. Sehr gut passt ein bunt gemischter Blattsalat dazu.

Bereite dieses Gericht unbedingt in einer richtig großen Pfanne zu.
Wir machen das gerne in Butterschmalz, denn wenn man mit Butter
eine zu hohe Temperatur wählt, verbrennt sie leicht und gibt dem
Gericht einen ganz anderen Geschmack. Wenn du aber lieber Butter
nimmst, dann vielleicht gleich auf zwei Pfannen zurückgreifen, damit
die Garnelen genügend Platz zum Braten haben.

FÜR 2 PORTIONEN
ZEIT: 10 MIN.

2 Knoblauchzehen
50 g Butterschmalz (ersatz-
    weise Olivenöl oder Butter)
500 g Garnelen (geschält
    und vom Darm befreit)
1 EL Weißwein
1 EL Zitronensaft
Salz
2 Stängel glatte Petersilie

KNOBLAUCHGARNELEN
MIT WEISSWEIN

Den Knoblauch schälen und sehr fein hacken. Das Butterschmalz in einer
großen Pfanne erhitzen. Darin die Garnelen 1 Min. braten, dann herausnehmen und beiseitestellen.

Den Knoblauch in die Pfanne geben und 30 Sek. andünsten, ohne dass er
bräunt. Dann sofort mit Weißwein und Zitronensaft ablöschen und salzen.
Die Garnelen zurück in die Pfanne geben und 1 Min. im Sud ziehen lassen,
damit sie die Aromen aufnehmen können.

Die Petersilie abbrausen und trocken schütteln, die Blättchen abzupfen
und grob hacken. Vor dem Servieren über die Garnelen streuen.

OKTOPUS MIT ZUCCHINI UND PASTIS

Dass ich hier zu Tiefkühlware rate, hat einen ganz schlichten Grund: Das Oktopusfleisch
ist dann viel zarter ist als bei frischen Tieren, die man ewig kochen muss. Manchmal kann
man Fischer sehen, die frisch gefangenen Oktopus zehn Minuten und länger gegen die
Steine der Hafenmole schlagen, um seine Zellen aufzubrechen. Auch das ist eine Methode,
an zartes Fleisch zu gelangen. Solltest du in guten Fischhandlungen einmal auf bereits
vorgegarte Oktopusarme stoßen, greife zu! Die sind eine echte Abkürzung.
Pastis – bei uns nennt man ihn Arak – hat einen eindringlichen Anisgeschmack. Das ist
super, bedeutet aber auch, dass man diese Spirituose sehr sparsam einsetzen sollte, sonst
dominiert sie das Gericht. Lieber mit weniger beginnen und nachlegen, falls gewünscht.

FÜR 4 PORTIONEN
ZEIT: 25 MIN.
+ 1 STD. 30 MIN. KOCHEN

1 TK-Oktopus (ca. 1,3 kg)
1 Zwiebel
1 große Bio-Zitrone
6 Lorbeerblätter
6 Wacholderbeeren
10 Kaffir-Limettenblätter
2 Zucchini
3 EL Olivenöl
grobes Meersalz
1 TL Pastis
1 Prise getrockneter Oregano
Pfeffer

Den Oktopus am Vortag aus dem Gefrierfach holen und über Nacht im
Kühlschrank langsam auftauen lassen.

Am nächsten Tag die Zwiebel und Zitrone waschen und halbieren. Aus
einer Zitronenhälfte 1 EL Saft auspressen und für später beiseitestellen.
Die Zwiebel- und Zitronenhälften mit Lorbeerblättern, Wacholderbeeren
und den Limettenblättern in einen großen Topf geben. Den Oktopus
ebenfalls in den Topf geben und alles mit heißem Wasser auffüllen. Aufkochen, die Temperatur zurückschalten und den Oktopus bei kleiner
Hitze in ca. 1 Std. 30 Min. sanft gar kochen.

Den Oktopus aus dem Topf nehmen und in einem Eiswasserbad (zum
eiskalten Wasser am besten noch ein paar Eiswürfel geben) abkühlen
lassen. Herausnehmen und trocken tupfen, dann die Arme vom Kopf
abtrennen und in Scheiben von ca. 1 cm Dicke schneiden.

Die Zucchini waschen, putzen, längs halbieren und in dünne Scheiben
schneiden. In einer großen Pfanne 1 EL Olivenöl erhitzen, etwas Meersalz
hineinstreuen. Darin die Zucchini anbraten, dann mit Pastis, Zitronensaft
und Oregano abschmecken. Herausnehmen und beiseitestellen.

Nun in der Pfanne noch einmal 1 EL Olivenöl erhitzen, Salz einstreuen
und darin den Oktopus kurz scharf anbraten. Mit den Zucchini auf Tellern
anrichten, pfeffern und mit dem restlichen Olivenöl (1 EL) beträufeln.

Diese Suppe kannst du sehr variabel dekorieren, etwa mit ein paar Granatapfelkernen oder mit Erdbeeren. Wir servieren die Suppe im Restaurant auch noch mit einer Kugel Grapefruitsorbet (siehe S. 248), es gehen stattdessen aber auch Grapefruitfilets. Oder vielleicht kleine Ananaswürfel. Oder … Da wirst du dir schon was einfallen lassen ;-)

FÜR 4 PORTIONEN
ZEIT: 15 MIN.

300 g Zucker
1 kg Kiwis
½ Bund Minze
15 Basilikumblätter
2 EL Pastis
Limettensaft zum
    Abschmecken

KIWISUPPE

Den Zucker mit 400 ml Wasser in einen Topf geben und verrühren. Das Zuckerwasser aufkochen und in 12–13 Min. zu einem Sirup kochen, dabei immer wieder mal umrühren. Vom Herd nehmen und auskühlen lassen.

In der Zwischenzeit die Kiwis schälen und grob würfeln. Minze abbrausen und trocken schütteln, die Blätter abzupfen. Beides mit Basilikum, Pastis und Zuckersirup in einen Standmixer geben und fein pürieren (alternativ in einer hohen Schüssel mit dem Stabmixer pürieren).

Die Kiwisuppe soll süßsauer schmecken. Ist sie zu süß, noch mit Limettensaft abschmecken. Die Suppe auf Schälchen oder Tassen verteilen, nach Belieben ergänzen und garnieren (siehe oben) und servieren.

ROYALE PRALINE

Dieses Dessert ist etwas aufwändiger in der Zubereitung, doch die Mühe lohnt sich wirklich. Das cremig-zarte Geschmackserlebnis wirst du so schnell nicht wieder vergessen. Nachdem der Überzug fest geworden ist, musst du die Royale Praline nur noch in kleine Tortenstücke schneiden und sie auf Dessertteller setzen – schon ist sie genussbereit. Wer möchte, gibt noch etwas Passionsfruchtsauce mit auf den Teller, die passt perfekt dazu. Übrigens: Die Glukose kannst du in sehr gut sortierten Supermärkten in der Backabteilung finden oder übers Internet beziehen. Bekommst du keinen Puffreis, nimm einfach Cornflakes.

FÜR 12 PORTIONEN
ZEIT: 40 MIN.
+ 5 STD. KÜHLEN

FÜR DIE BASIS
120 g Nussnugat
40 g Zartbitterschokolade
20 g Butter
1 Prise Salz
30 g gebrannte Mandeln
40 g Puffreis

FÜR DIE MOUSSE
½ Blatt weiße Gelatine
25 g Zucker
10 g Butter
1 Prise Salz
230 g Sahne
270 g Zartbitterschokolade
1 Eigelb (M)

FÜR DEN ÜBERZUG
500 g Sahne
3 EL flüssige Glukose
400 g Zartbitterschokolade

Für die Basis Nugat, Schokolade, Butter und Salz in eine Metallschüssel geben und über einem heißen Wasserbad sanft schmelzen, dabei immer wieder umrühren. Die Mandeln hacken, den Puffreis zerbröseln, beides untermischen. Die Nugatmasse in eine Springform (20 cm Ø) füllen und in mind. 2 Std. im Kühlschrank fest werden lassen.

Für die Mousse die Gelatine in kaltem Wasser einweichen. In einer Pfanne den Zucker bei mittlerer Hitze karamellisieren, die Temperatur reduzieren. Butter, Salz und 50 g Sahne dazugeben. Schokolade hacken und ebenfalls untermischen, bis sie geschmolzen ist, dann auch Eigelb und Gelatine dazugeben. Übrige Sahne steif schlagen und unterheben. Die Form aus dem Kühlschrank holen und die Mousse auf der Puffreisbasis verteilen, glatt streichen. Im Kühlschrank in ca. 2 Std. richtig fest werden lassen.

Dann für den Überzug die Sahne mit der Glukose unter Rühren in einem Topf erwärmen. Die Schokolade hacken und in der Sahne schmelzen, dabei so lange rühren, bis ein schöner Glanz entstanden ist.

Nun mit einem Messer am inneren Rand der Springform entlangfahren, den Ring öffnen und abnehmen. Den »Kuchen« vom Boden der Form lösen (dabei Zahnseide zu Hilfe nehmen) und auf ein Kuchengitter setzen, das auf einem Backblech steht. Den flüssigen Überzug gleichmäßig über den Kuchen gießen. Was auf das Blech tropft, ebenfalls wieder zum Übergießen nutzen. Die Praline 1 Std. kalt stellen, damit der Überzug fest wird.

Die Welt der Sorbets und Eiscremes ist unglaublich vielfältig und herrlich bunt – wie du rechts sehen kannst. Meine vier beschriebenen Sorten haben gar nicht alle aufs Bild gepasst … Was du für die Zubereitung brauchst? Beste Zutaten und natürlich eine Eismaschine, denn die ist ausschlaggebend für die cremige Konsistenz. Wie lang die Maschine dafür rühren muss, ist je nach Typ und Marke unterschiedlich. Also bitte die Gebrauchsanweisung lesen.

GRAPEFRUITSORBET

2 Grapefruits
75 g Zucker
1 EL flüssige Glukose
1 EL Reisessig

WASABISORBET

50 g flüssige Glukose
75 g Zucker
20 g Wasabipulver
2 EL Reisessig

HALVA-EIS

65 g Zucker
100 g Tahina
300 ml Milch
50 g flüssige Glukose
2 Eigelb (M)
150 g Sahne

KARDAMOMEIS

400 ml Milch
100 g flüssige Glukose
20 g Kardamomkapseln
3 Eigelb (M)
100 g Zucker
200 g Sahne

EISCREME UND SORBETS

Für das Grapefruitsorbet die Grapefruits schälen, filetieren, entkernen und fein pürieren. Mit 75 ml Wasser, Zucker, Glukose und Reisessig in die Eismaschine geben und zu einem cremigen Sorbet verarbeiten.

Für das Wasabisorbet in einem Topf Glukose, Zucker und 100 ml Wasser unter Rühren erhitzen, dann auskühlen lassen. Mit dem Wasabipulver, dem Reisessig und 120 ml Wasser mischen und anschließend in der Eismaschine zu einem cremigen Sorbet verarbeiten.

Für das Halva-Eis in einem Topf 50 g Zucker mit 100 ml Wasser mischen und erhitzen, Tahina unterrühren. Milch und Glukose mischen und ebenfalls unterrühren, auskühlen lassen. Eigelbe mit übrigem Zucker (15 g) aufschlagen, die Sahne unterrühren. Alles vermischen und dann in der Eismaschine und zu einem cremigen Eis verarbeiten.

Für das Kardamomeis die Kardamomkapseln in einem Mörser fein zerstoßen und mit Milch und Glukose in einen Topf geben. Alles bis kurz vor den Siedepunkt erhitzen, dann auskühlen lassen. Die Milch durch einen Kaffeefilter, ein feines Sieb oder ein Gazetuch filtern. Nun die Eigelbe mit dem Zucker aufschlagen, die Sahne unterrühren. Alles vermischen und dann in der Eismaschine zu einem cremigen Eis verarbeiten.

Und hier kommen noch ein paar Rezepte, die israelischer Standard sind – oder von meinem Küchenchef Ali stammen. Sie stehen zwar nicht bei uns auf der Speisekarte, doch ich wollte sie gerne aus Wertschätzung für Ali mit in diesem Buch haben. Er hält mir in der Küche seit vielen, vielen Jahren den Rücken frei. Und seine privaten Gerichte wie die Leber mit Roter Bete oder das Manzav schmecken wirklich toll.

FISCHFOND

Das hier ist nur ein Basisfond, den du jederzeit nach Belieben variieren kannst, beispielsweise mit anderen Gewürzen oder Kräutern. Das Kilo Fischabschnitte, das du aber in jedem
Fall brauchst, hat du vermutlich nicht immer einfach so im Kühlschrank – doch du kannst
Fischköpfe- und -karkassen beim Fischhändler vorbestellen. Der wirft sie sonst eh meist weg.
Wenn du sicher gehen willst, dass dein Fond am Ende klar ist, koche zunächst nur die Fisch-
reste auf, ohne die übrigen Zutaten. Den eventuell aufsteigenden Schaum schöpfst du mit
einer Schaumkelle oder einem kleinen Sieb ab. Erst dann kommt alles andere dazu.

FÜR 1 L FOND
ZEIT: 10 MIN.
+ 4 STD. KOCHEN

2 Möhren
300 g Knollensellerie
1 große Zwiebel
½ Knolle Knoblauch
4 Stängel glatte Petersilie
1 kg Fischabschnitte (Fisch-
    köpfe und -karkassen)
3 Lorbeerblätter
10 Pfefferkörner
5 Pimentkörner
1 EL Fischsauce

Möhren und Sellerie gründlich waschen und in grobe Würfel schneiden.
Zwiebel und Knoblauch ebenfalls waschen, Zwiebel achteln, Knoblauch
horizontal halbieren, sodass die Zehen noch zusammenhalten und das
Fleisch offenliegt. Die Petersilie abbrausen. Alles in einen Topf geben.

Die Fischabschnitte, Lorbeerblätter, Pfeffer- und Pimentkörner sowie die
Fischsauce in den Topf geben. Alles mit 2 l kaltem (!) Wasser auffüllen,
damit sich die Aromen gut verbinden können, und zum Kochen bringen.

Sobald das Wasser kocht, kann die Temperatur reduziert werden. Den
Fischfond nun bei kleiner Hitze ca. 4 Std. ganz sanft köcheln lassen, bis
nur noch die Hälfte der Flüssigkeit im Topf ist.

Dann den Fischfond durch ein feines Sieb abgießen, auffangen und sofort
verwenden. Oder den Fond in gründlich gesäuberte Schraubgläser füllen,
verschließen und in den Kühlschrank stellen. Haltbarkeit: gekühlt 1 Woche,
der Fond lässt sich aber auch einfrieren.

Diese Koriandermayonnaise ist so eine Art Universalwaffe, eine für Vieles passende Begleitung. Ich habe sie weiter vorne im Buch zum ganzen gebratenen Fisch empfohlen, sie geht aber auch hervorragend mit frittierten Calamaresringen oder gebratenen Garnelen. Und selbst als cremiger Dip zu Gemüsesticks kannst du dir damit nur Freunde machen.

WÜRZIGE KORIANDERSAUCE

FÜR 10 PORTIONEN
ZEIT: 10 MIN.

½ rote Paprika
2 Knoblauchzehen
5 Stängel Koriandergrün
½ rote Chilischote
½ EL Fischsauce (ersatz-
    weise 2 Anchovisfilets)
100 g Mayonnaise

Die Paprika putzen, waschen und in grobe Stücke schneiden. Den Knoblauch schälen und grob hacken. Das Koriandergrün abbrausen, trocken schütteln und samt der zarten Stängel ebenfalls grob hacken.

Alle vorbereiteten Zutaten mit der Chili und der Fischsauce in einen hohen Mixbecher geben und mit dem Stabmixer fein pürieren. Jetzt noch mit der Mayonnaise vermischen und dann auch schon servieren.

DREIERLEI SAUCEN

Saucen sind immer dann wichtig, wenn bei einem Gericht noch das entscheidende Etwas fehlt, dieser kleine Extrakniff. Diese drei Saucen sind auch wieder nicht nur in eine Richtung gedacht, sie sind, jede für sich, vielfältig einsetzbar. Folge in der Gewichtung der Zutaten deinem eigenen Geschmack. Die Tahina kannst du etwa mit Kräutern oder Gewürzen aufmotzen, aber vermische die Sachen dabei nicht. Es ist schöner, ihr nur einen kleinen Einzelcharakter mitzugeben. Manchmal ist Purheit beim Würzen besser als Vielfalt.

ALLZWECKDRESSING
2 rote Chilischoten
8 Knoblauchzehen
4 Stängel Koriandergrün
1 EL Fischsauce
100 ml Zitronensaft

AHORNSIRUPSENF
60 g mittelscharfer Senf
2 EL Ahornsirup
2 EL Sonnenblumenöl
1 TL Reisessig
1 TL Zitronensaft

TAHINASAUCE
2 Knoblauchzehen
½ EL Salz
Saft von 1 großen Zitrone
250 g Tahina

Für das Allzweckdressing die Chilis waschen und putzen, den Knoblauch schälen, beides grob hacken. Das Koriandergrün abbrausen und trocken schütteln. Alle Zutaten im Stand- oder mit dem Stabmixer fein pürieren. Dieses fettarme Dressing kannst du in eine Schraub- oder Bügelflasche füllen (Haltbarkeit: gekühlt mehrere Wochen) und über Salate oder Gemüse träufeln, aber auch als Dip auf den Meze-Tisch stellen.

Für den Ahornsirupsenf alle Zutaten in eine Schüssel geben, 2 EL Wasser dazugießen. Alles gut miteinander verrühren. Den Senf in ein Schraubglas füllen, verschließen und in den Kühlschrank stellen. Haltbarkeit: 1 Jahr. Mit dem Senf kannst du beispielsweise eine Sahnesauce verfeinern oder auch einen Quarkdip damit anreichern.

Für die Tahinasauce Knoblauch schälen und sehr fein hacken. Mit Salz und Zitronensaft zur Tahina geben und alles gut durchrühren. Nun nach und nach so viel Wasser untermischen, bis die gewünschte Konsistenz erreicht ist. Dabei im Hinterkopf behalten, dass die Tahina später wieder andickt. Darum solltest du die Sauce stets etwas dünner ansetzen, als du sie haben willst. Die Tahinasauce in ein Schraubglas füllen, verschließen und in den Kühlschrank stellen. Haltbarkeit: Nach 1 Woche sollte die Tahinasauce verbraucht sein – ist sie aber viel früher. Und sie ist besonders gut mit Baguette oder Fladenbrot auf einer Meze-Tafel.

Zichorien und Malven sind bei euch wohl nicht sehr geläufig – in Israel wächst beides überall auch wild. Zichorien werden oft unter dem Namen Zuckerhut oder Zichoriensalat angeboten, du kannst aber auch Chicorée nehmen, das ist sehr ähnlich. Und anstatt der Malvenblätter greifst du zu Mangold oder zu Spinat, das ist in etwa vergleichbar.

FÜR JE 4 PORTIONEN
ZEIT: JEWEILS 15 MIN.

ZICHORIENGEMÜSE

1 kg Zichorien (ersatz-
    weise Chicorée)
Salz
3 große Zwiebeln
3 EL Olivenöl
Saft von 1 Zitrone
Pfeffer

MALVENGEMÜSE

1 kg Malvenblätter
1 Bund Dill
3 große Zwiebeln
3 EL Olivenöl
Saft von 1 Zitrone
Salz | Pfeffer

ZICHORIEN- UND MALVENGEMÜSE

Für das Zichoriengemüse die Zichorien waschen, vom Strunk befreien und quer in 1 cm breite Streifen schneiden. Diese dann in kochendem Salzwasser ca. 1 Min. blanchieren, bis sie weich geworden sind. In Eiswasser abschrecken, in ein Sieb abgießen und mit Küchenpapier trocken tupfen. Die Zwiebeln schälen, halbieren und in feine Ringe schneiden. Öl in einem Topf erhitzen und darin die Zwiebeln kräftig anbraten. Zichorien dazugeben und das Gemüse mit Zitronensaft, Salz und Pfeffer würzen.

Für das Malvengemüse die Malvenblätter waschen, trocken schleudern und von den ganz groben Stängeln befreien. Den Dill abbrausen, trocken schütteln und grob hacken. Die Zwiebeln schälen und klein würfeln. Das Öl in einem Topf erhitzen. Darin die Zwiebeln glasig anbraten. Dann die Malvenblätter nach und nach dazugeben, wo sie beim Anbraten rasch in sich zusammenfallen. Dill untermischen und das Gemüse mit Zitronensaft, Salz und Pfeffer würzen.

Serviert werden das Zichorien- wie auch das Malvengemüse mit Majadara-reis (siehe S. 168), etwas Joghurt und eingelegter Zitrone (siehe S. 264). Wer möchte, kann auch noch ein paar Dillspitzen darüberstreuen.

Schärfe muss einem im Mund nicht alles wegbrennen – dann schmeckt man ja gar nichts mehr. Doch ein wenig Feuer hebt viele Gerichte eine Stufe höher. Steuern kannst du das durch die Auswahl der Peperoni, denn es gibt schärfere und mildere. Das eigentlich Scharfe an sich sind übrigens die Trennwände und Kernchen im Inneren. Wenn du die mit dem Messerrücken herausschabst, wird es gleich viel verträglicher.

PEPERONIPÜREE

FÜR 1 SCHRAUB- ODER BÜGELGLAS (CA. 200 ML)
ZEIT: 5 MIN.

5 grüne Peperoni
5 rote Peperoni
4 Knoblauchzehen
1 Stück Ingwer (3–4 cm lang)
½ eingelegte Zitrone
3 EL Mangochutney
3 EL Reisessig
½ TL Kurkuma
½ TL Salz
3 TL Zitronensaft

Die grünen und roten Peperoni waschen, putzen und grob hacken. Den Knoblauch und den Ingwer schälen und zusammen mit der eingelegten Zitrone ebenfalls grob hacken.

Peperoni, Knoblauch, Ingwer und Zitrone mit den restlichen Zutaten in einen Standmixer geben und fein pürieren. Alternativ kann man für das Zerkleinern auch einen Stabmixer benutzen.

Das Peperonipüree in das Glas füllen, gut verschließen und in den Kühlschrank stellen. Haltbarkeit: 1 Jahr. Einsatzmöglichkeiten: Überall, wo du eine kleine Schärfe, eine süße Abrundung oder auch einen Pfiff Säure haben möchtest, nimmst du dieses Püree. Es ist ein Allrounder bei Fisch und Garnelen, ja selbst aufs Brot gestrichen ist es klasse.

Fenchel ist ein Gemüse, das etwas polarisiert. Viele Menschen schätzen den sehr eigenwilligen Geschmack, der an Lakritze oder Anis erinnert, andere können damit rein gar nichts anfangen. Du kannst Fenchel auch in Scheiben schneiden, in einen Topf streuen und ein Kabeljau- oder Heilbuttfilet darauflegen. Mit etwas Weißwein, Zitronenscheiben und Ingwerwürfelchen aromatisieren und bei geschlossenem Deckel 15 Min dünsten.

FÜR 4 PORTIONEN
ZEIT: 5 MIN.
+ 2 TAGE MARINIEREN

2 große Knollen Fenchel
80 g Zucker
150 ml Reisessig
1 EL Pastis

EINGELEGTER FENCHEL

Den Fenchel waschen, putzen, halbieren oder vierteln und die Strünke entfernen, den Rest in dünne Scheiben schneiden. Die Fenchelscheiben in eine Schüssel mit Deckel oder in ein weites verschließbares Glas geben.

In einem kleinen Topf 150 ml Wasser erhitzen und darin den Zucker auflösen. Das Zuckerwasser abkühlen lassen, dann mit Reisessig und Pastis vermischen. Den Essigsud über die Fenchelscheiben gießen, diese gut abdecken und dann im Kühlschrank mind. 2 Tage marinieren lassen.

Der eingelegte Fenchel passt perfekt zu gebratenem oder paniertem, aber auch zu gedämpftem Fisch. Und nicht nur der Fenchel, sondern auch der Essigsud lässt sich bestens verwenden, wie man beim Lachs im Pankomantel (siehe S. 136) sieht.

Diese eingelegten Zitronen sind geschmacklich eine echte Wunderwaffe. Sie sind überall dort einsetzbar, wo Säure und zugleich Aroma nützlich sind, also bei Fisch und Meeresfrüchten, aber auch bei Gemüse und Salaten. Du kannst den Saft verwenden (das Salz sorgt dafür, dass sehr viel davon herausgezogen wird), aber auch das aromatische Fruchtfleisch und sogar die Schale, die jetzt schön weich ist.

FÜR 1 SCHRAUB- ODER
BÜGELGLAS (CA. 1 L)
ZEIT: 10 MIN.
+ 8 TAGE MARINIEREN

6 Bio-Zitronen
12 TL grobes Meersalz

EINGELEGTE ZITRONEN

Die Zitronen heiß waschen und abtrocknen. Von 5 Zitronen die Enden möglichst knapp abschneiden. Dann die Früchte von einem Ende her längs vierteln, dabei aber nicht ganz durchschneiden (die Spalten sollen am anderen Ende noch gut zusammenhalten).

Bei jeder Zitrone die entstandenen Spalten ein wenig auseinanderdrücken und 2 TL Meersalz einfüllen. Die gesalzenen Zitronen mit ordentlich Druck in das Glas (es sollte eine weite Öffnung haben) pressen, mit dem Deckel verschließen und über Nacht in den Kühlschrank stellen.

Am nächsten Tag die übrige Zitrone wie beschrieben einschneiden und salzen, dann ebenfalls ins Glas drücken. Die Zitronen mind. 7 Tage zum Marinieren in den Kühlschrank stellen. Haltbarkeit: mehrere Wochen.

Dieses Rezept ist eine reine Basisversion von Babaganoush, das es in unzähligen Abwandlungen gibt: mit Mayonnaise anstatt Olivenöl, mit kleingeschnittenen Tomaten, mit Oliven, mit mehr oder mit weniger Zitrone, um nur ein paar Variationsmöglichkeiten zu nennen. Gegessen wird Babaganoush als Vorspeise oder Dip, so wie Tahina oder Labaneh, zu Brot oder Pita. Es ist definitiv Teil der orientalischen DNA.

FÜR EINE GROSSE RUNDE
ZEIT: 20 MIN.

1 kg kleine Auberginen
4 Knoblauchzehen
Saft von 1 Zitrone
3 EL mildes Olivenöl

BABAGANOUSH

Die Auberginen waschen und rundherum mit einer Gabel mehrfach einstechen (dann platzt die Haut beim Grillen nicht, ist Trick 17). Die Auberginen unter dem Backofengrill oder über der offenen Flamme eines Holzkohlegrills garen, bis sie ganz weich sind, dabei immer wieder drehen. Die Haut darf dabei richtig schön schwarz werden, das bringt einen rauchigen Geschmack. Nach ca. 15 Min. sollten sie fertig sein.

Die Auberginen in ein großes Sieb legen. Darunter einen passenden Teller platzieren, damit der ablaufende Saft aufgefangen werden kann und der Arbeitsplatz sauber bleibt. Die Auberginen ein wenig abkühlen lassen.

Dann die Auberginen längs halbieren, Fruchtfleisch mit einem Löffel aus der Schale schaben und in eine Schüssel geben. Das Fruchtfleisch mit der Gabel zerzupfen oder so verrühren, dass eine breiige Masse entsteht.

Den Knoblauch schälen und fein hacken. Mit dem Zitronensaft und dem Olivenöl zur Auberginenmasse geben und diese cremig rühren.

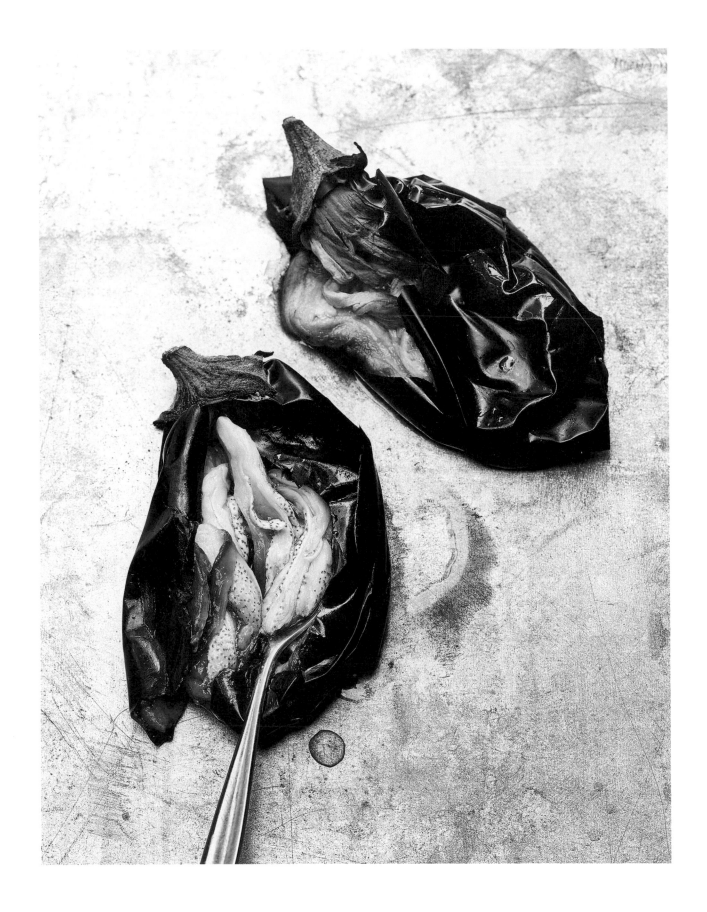

Natürlich schmeckt Labaneh frisch richtig klasse, man kann ihn aber auch konservieren. Dafür rollst du die abgehängte Masse zu kleinen Kugeln und legst sie zusammen mit Knoblauch, Kräutern wie Rosmarin, Oregano oder Estragon sowie Chilischoten und Zwiebeln in Olivenöl ein. Das Ganze lässt du dann mindestens einen Tag marinieren – und danach sind die Kugeln gekühlt locker sechs Monate haltbar.

FÜR 4 PORTIONEN
ZEIT: 5 MIN.
+ 4–12 STD. ABHÄNGEN

500 g Joghurt
¼ TL Salz

LABANEH

Ein Küchensieb mit einem Geschirrtuch auslegen und das Sieb in einen Topf oder eine Schüssel hängen. Den Joghurt mit dem Salz vermischen, in das Sieb geben und dann bei Zimmertemperatur »abhängen« lassen.

Die im Joghurt enthaltene Flüssigkeit tropft nun ab und der Joghurt verfestigt sich. Wie lange dieser Vorgang dauern soll, hängt ganz davon ab, welche Joghurtsorte man verwendet hat und welche Konsistenz der Labaneh haben soll. Ich denke, man muss nach Gefühl gehen.

Der Labaneh ist genau richtig, wenn man ihn mit der Gabel aufnehmen kann, ohne dass er zwischen den Zinken herunterläuft. Dafür sollte eine Zeit von 4–6 Std. angesetzt werden. Wenn man den Labaneh aber gerne etwas fester und streichfähiger haben möchte, lässt man ihn einfach noch länger hängen, 10–12 Std. sind da keine Zeit.

Der Reis bekommt durch das Kochen mit Kurkuma in der Hühnerbrühe nicht nur eine schöne gelbe Farbe, sondern auch einen einzigartigen Geschmack. Wenn mal etwas vom Reis übriggeblieben ist, kannst du ihn am nächsten Tag in der Pfanne mit etwas Butter oder Olivenöl anbraten und hast ein schnelles Zwischengericht oder eine nun andere Beilage.

FÜR 4 PORTIONEN
ZEIT: 10 MIN.
+ 35 MIN. GAREN

1,2 l Hühnerbrühe
½ TL Kurkuma
½ TL Salz
2 EL Sonnenblumenöl
500 g Jasmin-Reis

GELBER REIS

Die Hühnerbrühe mit Kurkuma und Salz in einen Topf geben und richtig schön heiß werden lassen. Kochen muss die Brühe aber nicht.

In einem zweiten Topf das Sonnenblumenöl erhitzen. Darin den Jasmin-Reis bei mittlerer Hitze unter Rühren heiß werden lassen. Dann die Brühe unter weiterem Rühren zum Reis gießen, die Temperatur herunterschalten.

Den Topf mit dem Deckel verschließen und den Reis 20 Min. bei kleiner Hitze sanft garen. Dann den Topf vom Herd nehmen und den Reis weitere 15 Min. mit geschlossenem Deckel ziehen lassen.

Nun den Topf öffnen und den Reis mit der Gabel auflockern, bevor man ihn auf Teller verteilt. Gelber Reis wird gerne zu Fischgerichten gegessen, etwa zu Lachsforelle im Gusseisen (siehe S. 208), er passt aber auch zu Gemüse wie Blumenkohl in scharfer Kokossauce (siehe S. 170).

Dieses Rezept stammt von meinem arabischen Küchenchef Ali. Hier ist schön zu sehen, wie auch bei einer einfachen Sache wie dem Kochwasser nichts verschwendet, sondern mehrfach genutzt wird. Übrigens: Baharat gibt es in vielen regional ganz unterschiedlichen Ausprägungen, auch wenn die Bestandteile Pfeffer, Muskat, Kreuzkümmel, Paprika, Koriander, Nelken und Zimt fast immer mit dabei sind.

MANZAV À LA ALI

FÜR 4 PORTIONEN
ZEIT: 15 MIN.
+ 2 STD. 5 MIN. GAREN

1 kg Lammfleisch
   (aus der Keule)
2 Zwiebeln
2 Bio-Zitronen
5 Lorbeerblätter
5 Wacholderbeeren
5 Kaffir-Limettenblätter
1 EL Butter
400 g Jasmin-Reis
1 EL Baharat (arab.
   Gewürzmischung)
½ TL Kurkuma
Salz
3 Stängel Minze
5 Knoblauchzehen
1 EL Speisestärke
60 g Pinienkerne

Das Lammfleisch in 3–4 cm große Würfel schneiden. Zwiebeln schälen und grob hacken, die Zitronen heiß waschen. Alles mit Lorbeerblättern, Wacholderbeeren und Kaffir-Limettenblättern in einen Topf geben und mit Wasser bedecken, bei beschlossenem Deckel zum Kochen bringen. Nun die Temperatur reduzieren und das Fleisch in ca. 1 Std. 30 Min. bei kleiner Hitze weich köcheln lassen. Dann das Fleisch mit einem Schaumlöffel aus der Brühe heben und beiseitestellen, die Brühe aufheben.

In einem zweiten Topf die Butter schmelzen. Reis, Baharat, Kurkuma und 1 TL Salz dazugeben und bei mittlerer Hitze andünsten. 600 ml Fleischbrühe dazugießen und den Reis im geschlossenen Topf ca. 20 Min. bei kleiner Hitze sanft garen. Dann Topf vom Herd nehmen und den Reis weitere 15 Min. mit geschlossenem Deckel ziehen lassen.

Die Minze abbrausen, trocken schütteln und hacken. Knoblauch schälen und ebenfalls hacken. Beides mit 300 ml Fleischbrühe und etwas Salz aufkochen. Speisestärke in 1 EL kaltem Wasser auflösen und dazugeben. Die Sauce kurz aufkochen und ein wenig eindicken lassen.

Die Pinienkerne in einer Pfanne goldbraun anrösten, die Hälfte davon zum Reis geben. Den Reis mit dem Fleisch mischen und auf Teller verteilen, mit den restlichen Pinienkernen bestreuen. Die Sauce separat dazu servieren. Wer mag, kann außerdem noch etwas Joghurt mit auf den Tisch stellen.

Das Rezept funktioniert mit Puten-, Enten-, Hühner- oder Gänseleber gleichermaßen. Allerdings wird das Ergebnis nicht ganz das Gleiche sein, da die Lebern von Gänsen eine andere Struktur haben. Das ist aber völlig egal – wenn es dir schmeckt, ist das Ziel erreicht! Und solltest du Lust auf etwas Grün haben, kannst du zum Schluss noch ein paar Dillspitzen über das Gericht streuen.

GEFLÜGELLEBER MIT ROTER BETE UND GEGRILLTER ANANAS

FÜR 4 PORTIONEN
ZEIT: 15 MIN.
+ 30 MIN. GAREN

1 Rote Bete
Salz
1 TL Reisessig
1 EL Ahornsirup
2 ½ TL Butter
1 EL Rotwein
Pfeffer
großes Meersalz
8 große Stücke Putenleber
2 Scheiben Ananas

Die Rote Bete schälen, in kleine Würfel schneiden und in einen Topf geben. Betewürfel mit Wasser bedecken, leicht salzen und in 25–30 Min. weich kochen. In ein Sieb abgießen, abtropfen lassen und mit Reisessig, Ahornsirup, 2 TL Butter und Rotwein in einem Standmixer oder mit dem Stabmixer zu einer Creme pürieren. Mit Pfeffer abschmecken.

Eine große schwere Pfanne mit etwas grobem Meersalz ausstreuen und erhitzen. Darin die Gänselebern auf beiden Seiten je ca. 5 Min. braten. Sie sollen außen schön gebräunt, innen aber noch leicht rosa sein. Die Lebern aus der Pfanne nehmen und warm halten.

Ananasscheiben halbieren oder vierteln, mit der übrigen Butter (½ TL) in die Pfanne geben und kurz scharf anbraten.

Die Rote-Bete-Creme kreisförmig auf Teller verteilen und die Lebern hineinsetzen. Die Ananas daneben platzieren. Am besten mit frisch getoastetem knusprigem Weißbrot servieren.

REZEPTREGISTER VON A BIS Z

A

Ahornsirupsenf 256

Allzweckdressing 256

Ananas: Geflügelleber mit Roter Bete und
gegrillter Ananas 274

Anchovisfilets

Barschfilets mit getrockneten Steinpilzen 196

Würzige Koriandersauce 254

Zackenbarsch mit Tomaten und Kapern 194

Äpfel

Barsch im Gusseisen mit Äpfeln und
Kokosreis 190

Blumenkohl in scharfer Kokossauce 170

Artischocken: Schwarze Reisnudeln mit
Artischocken 172

Auberginen

Babaganoush 266

Bruschetta mit Auberginencreme und
gebeiztem Fisch 118

Austernpilze: Pilzcremesuppe 154

Austernsauce: Jakobsmuscheln mit
Crème fraîche 230

Avocado: Garnelen mit Avocado 222

B

Babaganoush 266

Baguette

Bruschetta mit Auberginencreme und
gebeiztem Fisch 118

Bruschetta mit Fisch und Paprika 132

Barramundi in Zitronenbuttersauce 184

Barsch

Barsch im Gusseisen mit Äpfeln
und Kokosreis 190

Barschfilets mit getrockneten Steinpilzen 196

Bruschetta mit Auberginencreme und
gebeiztem Fisch 118

Chraime nach Art von Uri Buri 204

Ganzer gebratener Fisch mit Koriander-
mayonnaise 192

Rotbarsch mit Champagner und Rosmarin 200

Wolfsbarsch in Rosmarinbutter mit
Balsamico und Süßkartoffelpüree 186

Zackenbarsch mit Tomaten und Kapern 194

Basilikum

Fisch- oder Seafoodsuppe 156

Kiwisuppe 244

Wassermelone mit Labaneh 150

Beilagengemüse aus dem Ofen 166

Blattspinat

Lachssteak mit Martini-Spinat-Sauce 188

Spinatsalat mit Orangen und
Trockenfrüchten 126

Tahina mit Spinat und karamellisierten
Zwiebeln 176

Blumenkohl

Beilagengemüse aus dem Ofen 166

Blumenkohl in scharfer Kokossauce 170

Blumenkohl-Taboulé 138

Bohnen: Beilagengemüse aus dem Ofen 166

Brokkoli: Beilagengemüse aus dem Ofen 166

Bruschetta mit Auberginencreme und
gebeiztem Fisch 118

Bruschetta mit Fisch und Paprika 132

Butter

Barramundi in Zitronenbuttersauce 184

Geflügelleber mit Roter Bete und
gegrillter Ananas 274

Gnocchi mit Pilzen 174

Gorgonzola-Garnelen mit grünem Spargel 226

Grüne Spargelsuppe mit Hühnerroux 158

Jakobsmuscheln mit Crème fraîche 230

Jakobsmuscheln mit Jerusalem-
Artischocken-Püree 140

Lachssteak mit Martini-Spinat-Sauce 188

Manzav à la Ali 272

Miesmuscheln im Sahnesud 228

Rotbarsch mit Champagner und Rosmarin 200

Royale Praline 246

Schwarze Reisnudeln mit Artischocken 172

Süße Maissuppe 160

Wolfsbarsch in Rosmarinbutter mit Balsamico und Süßkartoffelpüree 186

C

Calamares

Calamares à la Plancha 236

Fisch- oder Seafoodsuppe 156

Frittierte Calamares 218

Carpaccio aus Rotgarnelen 134

Ceviche mit Kapern und roten Zwiebeln, Makrelen- 120

Champagner: Rotbarsch mit Champagner und Rosmarin 200

Champignons: Gnocchi mit Pilzen 174

Chilischoten

»Chinesischer« Fisch im Gusseisen 198

Allzweckdressing 256

Carpaccio aus Rotgarnelen 134

Dreierlei Saucen 256

Falafel 162

Fischsteak mit zweierlei Saucen 206

Ganzer gebratener Fisch mit Koriander-mayonnaise 192

Shakshuka 164

Würzige Koriandersauce 254

»Chinesischer« Fisch im Gusseisen 198

Chraime nach Art von Uri Buri 204

Couscous mit Seafood-Mix, Israelischer 216

Cranberrys

Blumenkohl-Taboulé 138

Rucolasalat mit Kohlrabi und Möhren 146

Crème fraîche

Jakobsmuscheln mit Crème fraîche 230

Pilzcremesuppe 154

Currypaste: Fisch- oder Seafoodsuppe 156

D

Dill

Malvengemüse 258

Miesmuscheln im Sahnesud 228

Zackenbarsch mit Tomaten und Kapern 194

Dorade

Bruschetta mit Fisch und Paprika 132

Dorade mit Joghurt und eingelegter Zitrone 210

Rotbarsch mit Champagner und Rosmarin 200

Zackenbarsch mit Tomaten und Kapern 194

Dreierlei Saucen 256

E

Eier

Barramundi in Zitronenbuttersauce 184

Gefüllte Sardinen 202

Gnocchi mit Pilzen 174

Halva-Eis 248

Kardamomeis 248

Lachs im Pankomantel 136

Royale Praline 246

Shakshuka 164

Wolfsbarsch in Rosmarinbutter mit Balsamico und Süßkartoffelpüree 186

Eingelegte Zitronen 264

Eingelegter Fenchel 262

Eiscreme und Sorbets

Grapefruitsorbet 248

Halva-Eis 248

Kardamomeis 248

Wasabisorbet 248

Erdnusskerne: Mangosalat 142

F

Falafel 162

Fenchel: Eingelegter Fenchel 262

Feta: Wassermelone mit Labaneh 150

Fisch- oder Seafoodsuppe 156

Fischfond 252

Fischküchlein mit Panko 182

Fischrogen: Sharonfrucht mit Garnelen und Fischrogen 130

Fischsauce

Allzweckdressing 256

Dreierlei Saucen 256

Fisch- oder Seafoodsuppe 156

Fischfond 252

Fischsteak mit zweierlei Saucen 206

Ganzer gebratener Fisch mit Koriander-mayonnaise 192

Gefüllte Sardinen 202

Krabbenfleisch mit Algen 232

Lachsforelle im Gusseisen mit Schmand 208

Mediterrane Garnelen 224

Miesmuscheln im Sahnesud 228

Schwarze Reisnudeln mit Artischocken 172

Würzige Koriandersauce 254

Zackenbarsch mit Tomaten und Kapern 194

Fischsteak mit zweierlei Saucen 206

Frische Sardellen in Salzwasser 148

Frittierte Calamares 218

Frühlingszwiebeln

»Chinesischer« Fisch im Gusseisen 198

Blumenkohl-Taboulé 138

Bruschetta mit Fisch und Paprika 132

Gnocchi mit Pilzen 174

Lachsforelle im Gusseisen mit Schmand 208

G

Ganzer gebratener Fisch mit Koriander-mayonnaise 192

Garnelen

Carpaccio aus Rotgarnelen 134

Fisch- oder Seafoodsuppe 156

Garnelen mit Avocado 222

Gorgonzola-Garnelen mit grünem Spargel 226

Israelischer Couscous mit Seafood-Mix 216

Knoblauchgarnelen mit Weißwein 238

Mediterrane Garnelen 224

Muscheln im Garnelensud 234

Sharonfrucht mit Garnelen und Fischrogen 130

Gebeiztem Fisch, Bruschetta mit Auberginencreme und 118

Geflügelleber mit Roter Bete und gegrillter Ananas 274

Gefüllte Sardinen 202

Gefüllte Weinblätter mit Lamm und Zwiebeln 178

Gelber Reis 270

Gnocchi mit Pilzen 174

Gorgonzola-Garnelen mit grünem Spargel 226

Grapefruitsorbet 248

Grüner Spargel

Gorgonzola-Garnelen mit grünem Spargel 226

Grüne Spargelsuppe mit Hühnerroux 158

H

Hackfleisch: Gefüllte Weinblätter mit Lamm und Zwiebeln 178

Halva-Eis 248

Heilbutt: Fischsteak mit zweierlei Saucen 206

Hühnerroux, Grüne Spargelsuppe mit 158

Hummus, Klassischer 124

I

Ingwer

»Chinesischer« Fisch im Gusseisen 198

Fisch- oder Seafoodsuppe 156

Jakobsmuscheln mit Crème fraîche 230

Lachs im Pankomantel 136

Muscheln im Garnelensud 234

Peperonipüree 260

Thunfisch mit japanischer Mayonnaise und Kohlrabi 144

Israelischer Couscous mit Seafood-Mix 216

J

Jakobsmuscheln

Jakobsmuscheln mit Crème fraîche · 230

Jakobsmuscheln mit Jerusalem-Artischocken-Püree · 140

Jerusalem-Artischocken-Püree, Jakobsmuscheln mit · 140

Joghurt

Dorade mit Joghurt und eingelegter Zitrone · 210

Labaneh · 268

Thunfisch mit Joghurt · 212

K

Kabeljau

Bruschetta mit Auberginencreme und gebeiztem Fisch · 118

Fischsteak mit zweierlei Saucen · 206

Kapern

Fischsteak mit zweierlei Saucen · 206

Makrelen-Ceviche mit Kapern und roten Zwiebeln · 120

Zackenbarsch mit Tomaten und Kapern · 194

Kardamomeis · 248

Kartoffeln

Gnocchi mit Pilzen · 174

Lachssteak mit Martini-Spinat-Sauce · 188

Kichererbsen

Falafel · 162

Klassischer Hummus · 124

Kiwisuppe · 244

Klassischer Hummus · 124

Knoblauch

»Chinesischer« Fisch im Gusseisen · 198

Allzweckdressing · 256

Babaganoush · 266

Bruschetta mit Fisch und Paprika · 132

Chraime nach Art von Uri Buri · 204

Dreierlei Saucen · 256

Falafel · 162

Fischfond · 252

Fischküchlein mit Panko · 182

Fischsteak mit zweierlei Saucen · 206

Frittierte Calamares · 218

Ganzer gebratener Fisch mit Koriander-mayonnaise · 192

Gefüllte Sardinen · 202

Jakobsmuscheln mit Crème fraîche · 230

Knoblauchgarnelen mit Weißwein · 238

Manzav à la Ali · 272

Mediterrane Garnelen · 224

Muscheln im Garnelensud · 234

Peperonipüree · 260

Shakshuka · 164

Spinatsalat mit Orangen und Trockenfrüchten · 126

Tahina mit Spinat und karamellisierten Zwiebeln · 176

Tahinasauce · 256

Würzige Koriandersauce · 254

Knollensellerie: Fischfond · 252

Kohlrabi

Rucolasalat mit Kohlrabi und Möhren · 146

Thunfisch mit japanischer Mayonnaise und Kohlrabi · 144

Kokosmilch

Barsch im Gusseisen mit Äpfeln und Kokosreis · 190

Blumenkohl in scharfer Kokossauce · 170

Fisch- oder Seafoodsuppe · 156

Koriandergrün

Allzweckdressing · 256

Blumenkohl-Taboulé · 138

Chraime nach Art von Uri Buri · 204

Dreierlei Saucen · 256

Falafel · 162

Fisch- oder Seafoodsuppe · 156

Fischküchlein mit Panko · 182

Fischsteak mit zweierlei Saucen · 206

Ganzer gebratener Fisch mit Koriander-mayonnaise · 192

Gefüllte Sardinen · 202

Mangosalat · 142

Mediterrane Garnelen 224

Shakshuka 164

Thunfisch mit Joghurt 212

Würzige Koriandersauce 254

Krabbenfleisch mit Algen 232

L

Labaneh 268

Labaneh, Wassermelone mit 150

Lachs

Fischsteak mit zweierlei Saucen 206

Lachs im Pankomantel 136

Lachs-Sashimi mit Wasabisorbet 128

Lachssteak mit Martini-Spinat-Sauce 188

Rotbarsch mit Champagner und Rosmarin 200

Lachsforelle im Gusseisen mit Schmand 208

Lammfleisch

Gefüllte Weinblätter mit Lamm und Zwiebeln 178

Manzav à la Ali 272

Leber: Geflügelleber mit Roter Bete und gegrillter Ananas 274

Linsen: Majadarareis mit Mangoldgemüse 168

M

Maissuppe, Süße 160

Majadarareis mit Mangoldgemüse 168

Makrele

Bruschetta mit Auberginencreme und gebeiztem Fisch 118

Bruschetta mit Fisch und Paprika 132

Fischküchlein mit Panko 182

Makrelen-Ceviche mit Kapern und roten Zwiebeln 120

Marinierte Makrelenfilets 122

Malvengemüse, Zichorien- und 258

Mandeln: Royale Praline 246

Mangoldgemüse, Majadarareis mit 168

Mangosalat 142

Manzav à la Ali 272

Marinierte Makrelenfilets 122

Martini-Spinat-Sauce, Lachssteak mit 188

Mascarpone: Sharonfrucht mit Garnelen und Fischrogen 130

Mayonnaise

Fischsteak mit zweierlei Saucen 206

Ganzer gebratener Fisch mit Koriander-mayonnaise 192

Marinierte Makrelenfilets 122

Thunfisch mit japanischer Mayonnaise und Kohlrabi 144

Würzige Koriandersauce 254

Mediterrane Garnelen 224

Meeräsche: »Chinesischer« Fisch im Gusseisen 198

Meerrettich: Thunfisch mit japanischer Mayonnaise und Kohlrabi 144

Melone

Dorade mit Joghurt und eingelegter Zitrone 210

Wassermelone mit Labaneh 150

Miesmuscheln

Israelischer Couscous mit Seafood-Mix 216

Miesmuscheln im Sahnesud 228

Muscheln im Garnelensud 234

Milch

Eiscreme und Sorbets 248

Halva-Eis 248

Jakobsmuscheln mit Jerusalem-Artischocken-Püree 140

Kardamomeis 248

Süße Maissuppe 160

Wolfsbarsch in Rosmarinbutter mit Balsamico und Süßkartoffelpüree 186

Minze

Blumenkohl-Taboulé 138

Kiwisuppe 244

Manzav à la Ali 272

Rucolasalat mit Kohlrabi und Möhren 146

Möhren

Chraime nach Art von Uri Buri 204

Fischfond 252

Israelischer Couscous mit Seafood-Mix 216

Marinierte Makrelenfilets	122
Rucolasalat mit Kohlrabi und Möhren	146
Thunfisch mit japanischer Mayonnaise und Kohlrabi	144

Muscheln

Israelischer Couscous mit Seafood-Mix	216
Jakobsmuscheln mit Crème fraîche	230
Jakobsmuscheln mit Jerusalem-Artischocken-Püree	140
Miesmuscheln im Sahnesud	228
Muscheln im Garnelensud	234

N

Nori-Blätter

Jakobsmuscheln mit Crème fraîche	230
Jakobsmuscheln mit Jerusalem-Artischocken-Püree	140
Krabbenfleisch mit Algen	232
Lachs im Pankomantel	136
Nussnugat: Royale Praline	246

O

Oktopus mit Zucchini und Pastis	240

Oliven

Garnelen mit Avocado	222
Wassermelone mit Labaneh	150

Orangen

Lachs im Pankomantel	136
Spinatsalat mit Orangen und Trockenfrüchten	126

P

Panko

Fischküchlein mit Panko	182
Lachs im Pankomantel	136

Paprikas

Bruschetta mit Fisch und Paprika	132
Ganzer gebratener Fisch mit Koriandermayonnaise	192
Rucolasalat mit Kohlrabi und Möhren	146

Shakshuka	164
Würzige Koriandersauce	254

Parmesan

Gnocchi mit Pilzen	174
Lachssteak mit Martini-Spinat-Sauce	188
Süße Maissuppe	160

Pastis

Eingelegter Fenchel	262
Kiwisuppe	244
Lachs im Pankomantel	136
Oktopus mit Zucchini und Pastis	240
Pekannüsse: Blumenkohl-Taboulé	138

Peperoni

Barsch im Gusseisen mit Äpfeln und Kokosreis	190
Blumenkohl in scharfer Kokossauce	170
Chraime nach Art von Uri Buri	204
Gefüllte Sardinen	202
Mediterrane Garnelen	224
Peperonipüree	260
Thunfisch mit Joghurt	212

Petersilie

Blumenkohl-Taboulé	138
Falafel	162
Carpaccio aus Rotgarnelen	134
Fischfond	252
Fischküchlein mit Panko	182
Knoblauchgarnelen mit Weißwein	238
Rucolasalat mit Kohlrabi und Möhren	146
Zackenbarsch mit Tomaten und Kapern	194

Pilze

Barschfilets mit getrockneten Steinpilzen	196
Gnocchi mit Pilzen	174
Pilzcremesuppe	154
Pinienkerne: Manzav à la Ali	272
Pistazien: Rucolasalat mit Kohlrabi und Möhren	146
Portobello-Pilze: Pilzcremesuppe	154
Püree, Jakobsmuscheln mit Jerusalem-Artischocken-	140
Putenleber: Geflügelleber mit Roter Bete und gegrillter Ananas	274

R

Reis

Barsch im Gusseisen mit Äpfeln und Kokosreis — 190

Blumenkohl in scharfer Kokossauce — 170

Gefüllte Weinblätter mit Lamm und Zwiebeln — 178

Gelber Reis — 270

Majadarareis mit Mangoldgemüse — 168

Manzav à la Ali — 272

Reisnudeln mit Artischocken, Schwarze — 172

Remoulade: Fischsteak mit zweierlei Saucen — 206

Rinderhackfleisch: Gefüllte Weinblätter mit Lamm und Zwiebeln — 178

Rogen: Sharonfrucht mit Garnelen und Fischrogen — 130

Rosmarin

Rotbarsch mit Champagner und Rosmarin — 200

Wolfsbarsch in Rosmarinbutter mit Balsamico und Süßkartoffelpüree — 186

Rotbarsch

Bruschetta mit Auberginencreme und gebeiztem Fisch — 118

Rotbarsch mit Champagner und Rosmarin — 200

Rote Bete: Geflügelleber mit Roter Bete und gegrillter Ananas — 274

Rotgarnelen

Carpaccio aus Rotgarnelen — 134

Sharonfrucht mit Garnelen und Fischrogen — 130

Royale Praline — 246

Rucolasalat mit Kohlrabi und Möhren — 146

S

Sahne

Eiscreme und Sorbets — 248

Gnocchi mit Pilzen — 174

Halva-Eis — 248

Kardamomeis — 248

Krabbenfleisch mit Algen — 232

Lachssteak mit Martini-Spinat-Sauce — 188

Miesmuscheln im Sahnesud — 228

Pilzcremesuppe — 154

Rotbarsch mit Champagner und Rosmarin — 200

Royale Praline — 246

Sharonfrucht mit Garnelen und Fischrogen — 130

Salatgurke: Rucolasalat mit Kohlrabi und Möhren — 146

Salbei: Barramundi in Zitronenbuttersauce — 184

Sardellen

Fischküchlein mit Panko — 182

Frische Sardellen in Salzwasser — 148

Sardinen: Gefüllte Sardinen — 202

Sashimi mit Wasabisorbet, Lachs- — 128

Saure Sahne: Barschfilets mit getrockneten Steinpilzen — 196

Schafskäse: Wassermelone mit Labaneh — 150

Schmand

Gorgonzola-Garnelen mit grünem Spargel — 226

Krabbenfleisch mit Algen — 232

Lachsforelle im Gusseisen mit Schmand — 208

Schnittlauch

Blumenkohl in scharfer Kokossauce — 170

Schwarze Reisnudeln mit Artischocken — 172

Sharonfrucht mit Garnelen und Fischrogen — 130

Schokolade: Royale Praline — 246

Scholle: Bruschetta mit Fisch und Paprika — 132

Schwarze Reisnudeln mit Artischocken — 172

Seafoodsuppe, Fisch- oder — 156

Sellerie

Chraime nach Art von Uri Buri — 204

Fischfond — 252

Senf: Ahornsirupsenf — 256

Shakshuka — 164

Sharonfrucht mit Garnelen und Fischrogen — 130

Sojasauce

»Chinesischer« Fisch im Gusseisen — 198

Israelischer Couscous mit Seafood-Mix — 216

Lachs im Pankomantel — 136

Lachs-Sashimi mit Wasabisorbet — 128

Thunfisch mit japanischer Mayonnaise und Kohlrabi — 144

Sorbets und Eiscreme

Grapefruitsorbet 248

Halva-Eis 248

Kardamomeis 248

Wasabisorbet 248

Spargel

Gorgonzola-Garnelen mit grünem Spargel 226

Grüne Spargelsuppe mit Hühnerroux 158

Spinat

Lachssteak mit Martini-Spinat-Sauce 188

Spinatsalat mit Orangen und Trockenfrüchten 126

Tahina mit Spinat und karamellisierten Zwiebeln 176

Staudensellerie: Chraime nach Art von Uri Buri 204

Steinpilze

Barschfilets mit getrockneten Steinpilzen 196

Gnocchi mit Pilzen 174

Pilzcremesuppe 154

Süße Maissuppe 160

Süßkartoffeln

Beilagengemüse aus dem Ofen 166

Wolfsbarsch in Rosmarinbutter mit Balsamico und Süßkartoffelpüree 186

T

Taboulé, Blumenkohl- 138

Tahina

Dreierlei Saucen 256

Eiscreme und Sorbets 248

Halva-Eis 248

Klassischer Hummus 124

Tahina mit Spinat und karamellisierten Zwiebeln 176

Tahinasauce 256

Thai-Currypaste: Fisch- oder Seafoodsuppe 156

Thunfisch

Thunfisch mit japanischer Mayonnaise und Kohlrabi 144

Thunfisch mit Joghurt 212

Thymian

Beilagengemüse aus dem Ofen 166

Lachssteak mit Martini-Spinat-Sauce 188

Schwarze Reisnudeln mit Artischocken 172

Tintenfisch: Israelischer Couscous mit Seafood-Mix 216

Tomaten

»Chinesischer« Fisch im Gusseisen 198

Bruschetta mit Fisch und Paprika 132

Carpaccio aus Rotgarnelen 134

Gefüllte Weinblätter mit Lamm und Zwiebeln 178

Shakshuka 164

Zackenbarsch mit Tomaten und Kapern 194

Topinambur: Jakobsmuscheln mit Jerusalem-Artischocken-Püree 140

Trockenfrüchte: Spinatsalat mit Orangen und Trockenfrüchten 126

W

Wasabi

Lachs-Sashimi mit Wasabisorbet 128

Wasabisorbet 248

Wassermelone

Dorade mit Joghurt und eingelegter Zitrone 210

Wassermelone mit Labaneh 150

Wein

»Chinesischer« Fisch im Gusseisen 198

Israelischer Couscous mit Seafood-Mix 216

Jakobsmuscheln mit Crème fraîche 230

Knoblauchgarnelen mit Weißwein 238

Miesmuscheln im Sahnesud 228

Muscheln im Garnelensud 234

Lachssteak mit Martini-Spinat-Sauce 188

Geflügelleber mit Roter Bete und gegrillter Ananas 271

Weinblätter mit Lamm und Zwiebeln, Gefüllte 178

Wolfsbarsch

Bruschetta mit Auberginencreme und gebeiztem Fisch	118
Ganzer gebratener Fisch mit Koriandermayonnaise	192
Wolfsbarsch in Rosmarinbutter mit Balsamico und Süßkartoffelpüree	186
Zackenbarsch mit Tomaten und Kapern	194
Würzige Koriandersauce	254

Z

Zackenbarsch

Chraime nach Art von Uri Buri	204
Zackenbarsch mit Tomaten und Kapern	194
Zichorien- und Malvengemüse	258

Zitronen

Ahornsirupsenf	256
Allzweckdressing	256
Babaganoush	266
Barramundi in Zitronenbuttersauce	184
Blumenkohl-Taboulé	138
Calamares à la Plancha	236
Carpaccio aus Rotgarnelen	134
Dorade mit Joghurt und eingelegter Zitrone	210
Dreierlei Saucen	256
Eingelegte Zitronen	264
Fisch- oder Seafoodsuppe	156
Fischsteak mit zweierlei Saucen	206
Frittierte Calamares	218
Garnelen mit Avocado	222
Gefüllte Sardinen	202
Gefüllte Weinblätter mit Lamm und Zwiebeln	178
Klassischer Hummus	124
Knoblauchgarnelen mit Weißwein	238
Lachs im Pankomantel	136

Makrelen-Ceviche mit Kapern und roten Zwiebeln	120
Mangosalat	142
Manzav à la Ali	272
Mediterrane Garnelen	224
Oktopus mit Zucchini und Pastis	240
Peperonipüree	260
Rucolasalat mit Kohlrabi und Möhren	146
Schwarze Reisnudeln mit Artischocken	172
Tahina mit Spinat und karamellisierten Zwiebeln	176
Tahinasauce	256
Zichorien- und Malvengemüse	258
Zucchini: Oktopus mit Zucchini und Pastis	240
Zuckerschoten: Israelischer Couscous mit Seafood-Mix	216

Zwiebeln

»Chinesischer« Fisch im Gusseisen	198
Beilagengemüse aus dem Ofen	166
Falafel	162
Fischfond	252
Fischküchlein mit Panko	182
Gefüllte Weinblätter mit Lamm und Zwiebeln	178
Israelischer Couscous mit Seafood-Mix	216
Lachssteak mit Martini-Spinat-Sauce	188
Majadarareis mit Mangoldgemüse	168
Makrelen-Ceviche mit Kapern und roten Zwiebeln	120
Manzav à la Ali	272
Marinierte Makrelenfilets	122
Miesmuscheln im Sahnesud	228
Oktopus mit Zucchini und Pastis	240
Shakshuka	164
Tahina mit Spinat und karamellisierten Zwiebeln	176
Thunfisch mit Joghurt	212
Zichorien- und Malvengemüse	258

Ein Bild kann manchmal auf einen Schlag mehr ausdrücken als viele Worte. Muss hier noch groß erklärt werden, dass Uri und sein junges Team mächtig Spaß miteinander haben?

IMPRESSUM

Projektleitung: Sabine Sälzer
Lektorat, Satz/DTP: schönseitig, Redaktionsbüro Christina Geiger, München
Korrektorat:
Anne-Sophie Zähringer
Gesamtgestaltung: independent Medien-Design, München; Horst Moser (Artdirection)
Fotografie: Vivi D'Angelo
Foodstyling (Teilproduktion): Matthias F. Mangold
Herstellung: Susanne Fuhrmann
Reproduktion: Longo AG, Bozen
Druck: aprinta GmbH, Wemding
Bindung: Conzella Pfarrkirchen

Syndication:
www.jalag-syndication.de

2. Auflage 2020

ISBN 978-3-8338-7580-9

Umwelthinweis: Dieses Buch ist auf PEFC-zertifiziertem Papier aus nachhaltiger Waldwirtschaft gedruckt.

Bildnachweis
Foto S. 287: privat/Tal Cohen
Alle anderen Fotos: Vivi D'Angelo

Der Autor
Uri Jeremias, den alle Welt nur Uri Buri nennt, bietet in seinem gleichnamigen Restaurant in Akko eine der besten Küchen Israels. Sein Ruf als leidenschaftlicher Gastgeber ist legendär, ebenso sein Engagement für respektvoll-friedliches Miteinander. In diesem Buch hat er seine Vorstellung von Kochbuch verwirklicht – und bietet weit mehr als Rezepte.

Der Co-Autor
Matthias F. Mangold, renommierter Kochbuchautor und Weinexperte mit eigener Kochschule. Nach einer Israel-Reise hat er mit dem Verlag zusammen die Initiative ergriffen, ein Buch mit Uri zu verwirklichen. Als Co-Autor hat er Uri Buris Leben, Ideen und Rezepte für dieses Buch zu Papier gebracht.

Die Fotografin
Vivi D'Angelo fotografiert in ihrem Münchner Studio und immer wieder auch weltweit unterwegs. Seit Jahren beweist sie ihren besonderen Blick aufs Essen und ihre einfühlsame Gabe beim Einfangen von Szenen mit Menschen, Landschaften, Lichtstimmungen. Ihre Arbeit wurde bereits mehrfach prämiert. Für dieses Buch unternahm sie eine besonders spannende Reise und zeigt in ihren ausdrucksstarken Fotos Uris Welt und seine Rezepte.
www.vividangelo.com

www.facebook.com/gu.verlag

GRÄFE UND UNZER

Ein Unternehmen der
GANSKE VERLAGSGRUPPE